Educar a los topos

Guillermo Fadanelli

Educar a los topos

EDITORIAL ANAGRAMA
BARCELONA

Diseño de la colección:
Julio Vivas
Ilustración de Felipe Lara

Pedró de la Creu, 58
08034 Barcelona

ISBN: 84-339-7137-9
Depósito Legal: B. 28647-2006

Printed in Spain

Reinbook Imprès, sl, Múrcia, 36
08830 Sant Boi de Llobregat

Primera parte

Hace unas noches volví a soñar con mi padre. En mi sueño este hombre de aspecto recio, mal encarado, se encontraba junto a mí explicándome cómo funcionaba su nuevo reloj, sin tomar en consideración que no me importaba en lo más mínimo el funcionamiento de los relojes. Yo lo observaba concentrarse en esas manecillas diminutas, como si su misión más importante en la vida fuera que su hijo mayor comprendiera el enorme valor contenido en un Mido con extensible de oro, carátula ovalada y calendario. Nada más elegante o apropiado para él que almacenar el tiempo en un reloj de oro. Parecía no conceder ninguna importancia al hecho de que mis muñecas continuaran desnudas pese a todos los relojes que me regalara en el transcurso de los años pasados. Yo lo observaba mientras un pensamiento ocupaba mi mente: prefiero que me explique cómo funciona su reloj a que esté muerto, con sus huesos ordenados dentro de una caja que sus hijos ni siquiera pudimos elegir. Mi desinterés por los relojes tiene remedio, pero su muerte me pesa más que todas las horas transcurridas desde el principio del tiempo. Su deceso repentino, que ocurrió cuando su salud daba muestras de mejorar, me reveló algo que no lograron sugerirme los trece relojes que con tanta pasión él atara a mis manos: que el tiempo tiene peso, un peso que ningún humano podría soportar sobre su espalda sin antes haber acumulado una dosis suficiente de cinismo en la sangre.

En el sueño me veía fingiendo, hipócrita como he llegado a ser, una atención que en realidad jamás concedí a mi padre cuando disertaba acerca de las maravillas de la relojería. Fingía, sí, porque sabía que en realidad él estaba muerto y que un instante de distracción me devolvería a la soledad de mi habitación, a la recámara de un huérfano que no se acostumbraba a serlo. Y es que él murió en una madrugada de hace apenas once meses, recostado, con la televisión encendida y la luz de su pequeña lámpara de mesa iluminando su cuerpo enroscado como un caracol. La muerte lo sorprendió sin médicos, hospitales o plañideras compungidas bebiendo café a un lado de su cama, como era de esperarse de un hombre que no toleraba los aspavientos sentimentales ni mucho menos el derroche de lágrimas. En algún momento de la recién comenzada madrugada mi madre, que dormía en una habitación contigua, entró a su habitación para preguntarle si deseaba cenar, pero él, muerto como estaba, prefirió mantener íntegro su silencio, no responder y cruzar de una buena vez la puerta que se abrió apenas un año atrás cuando sufriera una aparatosa fractura de cadera.

Nunca he sido el vivo retrato de mi padre, pese a que conforme los años avanzan mi rostro comienza a parecerse al suyo y mis facciones se tornan cada vez más agresivas, como si debajo de la arena comenzaran a emerger unas herrumbrosas molduras de hierro, o los fragmentos de una enorme piedra sedimentaria. Es una sensación incómoda lo menos, pero me tranquiliza pensar que en esencia todos los viejos se parecen. Al final de mi vida careceré de un rostro, estoy seguro, pero a cambio tendré una piedra que será como todas las piedras que en conjunto forman montañas. A veces pienso que todos merecemos la muerte, menos los ancianos. Ellos deberían estacionarse para siempre en una de las profundas grietas de su piel maltratada.

Guardo en una caja de cartón los trece relojes que me obsequió mi padre a lo largo de su vida: uno de ellos, acaso el menos solemne, es aquel donde la manecilla más delgada tenía la forma de un cohete espacial que giraba sin cesar en su órbita perfecta. Tomando en cuenta el escaso sentido del humor paterno, el reloj con manecilla de cohete se convirtió a la postre en mi favorito. Al menos puedo considerarlo una excepción o un raro momento de debilidad. Desconozco las razones por las que mi padre simulaba no enterarse de mi aversión por los instrumentos de medición. No conservo el pequeño microscopio equipado con probetas, espátulas, placas de cristal y huevos de camarón, ni tampoco el mecano metálico que se extravió en las constantes mudanzas que me acompañaron después de la juventud. La mayoría de sus regalos, a excepción de la manopla, los bates o los balones, estaban relacionados con su afición a medir todo lo que encontraba a su alrededor. Mi padre deseaba medir el mundo, el tiempo, la cintura del universo, pero a mí no me importaba saber si la tierra era redonda o un estanque de patos. Y ahora me importa menos.

Me es indiferente el color de las pastillas que ingiero antes de dormir porque los sueños insisten en recordarme, puntuales, que me he quedado solo en un mundo que me es imposible medir: sin relojes, telescopios elementales, microscopios, ni mecanos para entender cómo funcionan las cosas. En definitiva, no está en mis manos develar ningún secreto de la naturaleza. Estoy seguro de que mi padre me habría explicado qué clase de madera es la más conveniente para construir un ataúd duradero. Nos habría ofrecido una cátedra sobre la calidad de la madera y las diferencias que existen entre el roble, el cedro y el pino corriente. Además no habría sido tan torpe como sus hijos para llevar a cabo los trámites funerarios: no habría dejado pasar tanto tiempo sin dar aviso a las autoridades, ni tampoco hubiera olvidado llamar a los familiares cercanos al recién fallecido. Ya lo veo tomar el teléfono para comunicarle a su parentela que finalmente la desgracia había tenido lugar cuando menos se esperaba. Lo imagino convenciendo a los enterradores de que, por unos cuantos pesos más, realizaran su trabajo con suma delicadeza para no aumentar el sufrimiento de la viuda. No se debe tratar a un cadáver como si fuera un bulto cualquiera, más si sus familiares están presentes. Una vez que los familiares se marchen pueden comerse el cadáver, pero entretanto hay que guardar un respeto extremo. Lo imagino husmeando en el muestrario de ataúdes para seleccionar el más costoso, uno dorado, resplandeciente como el reloj que me obsequió el día en que terminé mis estudios de preparatoria. Cada uno de los trece relojes que hoy almaceno en una caja sellada debió de estar ligado a una fecha importante que mi memoria se ha negado a guardar: graduaciones o cumpleaños, qué más da. En cambio, yo no quise seleccionar siquiera una corona de flores, ni me di un tiempo para conversar con los encargados de llevar a cabo las exequias. Debí de presentarme como el hijo mayor y hacer las preguntas de rutina. «Soy el hijo mayor del señor Juárez y espero entiendan lo delicado de este asunto.» Tampoco me comporté amable con los familiares que asistieron al sepelio. ¿Para qué hacer un *picnic* en el velatorio? Fue mi primo quien tomó la decisión de que la superficie del ataúd fuera dorada, sin importar que costara unos miles de pesos más. Un primo a quien no veíamos desde varios años atrás eligió la caja más conveniente para hospedar a los futuros gusanos. Un primo a esas alturas desconocido. No me molestó su intromisión porque a pesar de que mi padre murió en la miseria, todos en la familia estaban enterados de su afición por la ostentación, el oro, los autos grandes, los ceniceros y lámparas de cristal cortado, los gobelinos afelpados, los tapices con relieve y las alfombras mullidas. Es un privilegio que existan personas como mi primo que saben cómo comportarse en los velorios. ¿Dónde aprenden a comportarse así? ¿Dónde aprenden que los ataúdes dorados son lo más conveniente para honrar a un muerto?

El sueño del reloj no tendría que estar incluido en estas hojas que planeé comenzar de una manera distinta, pero ha sucedido justo hace unas noches cuando pensé que la pesadumbre había disminuido. Apenas me desperté esta mañana tomé un cuaderno con algunas hojas en blanco y escribí varios párrafos que ahora no me es sencillo ignorar. Soy flojo y prefiero aprovechar estas hojas: y no se puede hacer ya nada al respecto. La cuestión es que el verdadero comienzo de esta crónica debió describir una noche de hace poco más de treinta años, cuando me enteré de que sería recluido en una escuela militar. Sé bien que la palabra *recluir* es exagerada, pero así lo imaginé en ese entonces. Mi padre había terminado de cenar y sumido en un sospechoso silencio fingía escuchar las palabras de su mujer que le hablaba de asuntos cotidianos, para él de poca importancia. Siempre le parecieron de escasa gravedad los asuntos que despertaban el interés de mi madre: el mundo se desarrollaba fuera, no dentro de la casa. ¿Por qué le narraban con tanto detalle situaciones ridículas? Que yo vagara por las tardes sin permiso no era un asunto de relevancia para el futuro, como tampoco lo era que mi hermana hubiera orinado las sábanas o acumulado la cal de una pared bajo su propia cama. Un hecho: la cal y los orines tenían escaso peso en la jerarquía de los valores paternos.

–No sé por qué razón se ha puesto a escarbar en la pared. –Intrigada, mi madre ponía el tema sobre la mesa. A todos nos parecía un asunto de interés mayúsculo, a todos menos a él.

–En estos casos sólo existe una solución posible, evitar que se coma la cal –reaccionaba mi padre, con fastidio. Sabía que no lo dejarían en paz hasta que diera una solución al asunto. A fin de cuentas era el juez, la voz que dictaba sentencia, el obrero que en su casa tiene casi el mismo peso que Dios.

–No puedo estar detrás de ella todo el día, y como está flaca aprovecha para colarse en cualquier agujero; se esconde. No sé por qué a los niños les parece tan divertido ocultarse –se preguntaba ella. ¿Que acaso no es evidente que los niños se esconden de las personas mayores?

–Si se come la cal es que debe hacerle falta una vitamina. Le preguntaré a un doctor –concluía él. Y a otro tema.

La necesidad de ahorrar nos depositó en casa de mi abuela paterna desde comienzos de los años setenta. El mundial de futbol recién había terminado y todavía estaban frescos los cuatro goles que Italia le había metido a México en La Bombonera para eliminarlo del torneo. Sin embargo, la derrota no nos había sumido en la amargura, porque no obstante que éramos todavía pequeños habíamos escuchado decir a los mayores que jamás podríamos ganarle a Italia. Fue la primera vez en mi vida que escuché la frase «Es un sueño, guajiro». La casa de la abuela era amplia, rectangular, y los cuartos se comunicaban entre sí a través de puertas espigadas. La construcción de dos pisos y un cuarto de hormigón en la azotea se levantaba un poco triste sobre la Avenida Nueve, hacia los límites de la colonia Portales (hoy la Avenida Nueve ha sido rebautizada con el nombre de Luis Spota, uno de los dos escritores por los que mi padre sintió siempre un mínimo respeto. El otro fue Ricardo Garibay). Vista de frente, la construcción daba la sensación de haber sido roída sin piedad por el tiempo, pero su verdadera fortaleza no se adivinaba de ningún modo en la fachada.

Los pisos eran de duela y los techos descansaban en un conjunto de robustas vigas apolilladas. Una casa holgada y sólida que ahora sólo tiene realidad en la memoria de los sobrevivientes.

Un barrio de pobres, o más bien de obreros y comerciantes, la colonia Portales, como la San Simón o la Postal. Aquí los perros, no tan flacos como debía de esperarse de animales errabundos, deambulaban sin dirección premeditada y ningún habitante se encontraba a salvo de ser asaltado cuando caía la noche. Después de las nueve una sospechosa tranquilidad tomaba las calles, las puertas se clausuraban y los pandilleros se reunían en un callejón a fumar marihuana y a beber aguardiente. El olor de la marihuana era tan intenso que lograba colarse por las quicios y juntas de las ventanas y no se disipaba sino hasta después de la medianoche. La iglesia de San Simón se erguía, modesta, a unas cuantas calles de nuestra casa, y en su atrio de piso desnivelado los niños jugaban pelota durante las tardes y las mujeres conversaban a salvo de la mirada de sus maridos. ¿De qué hablaban estas mujeres?, no lo sé, pero mi madre era una de ellas. A unas cuadras estaban también los baños de vapor Rocío, los billares Peninsular y los depósitos de leche barata que el gobierno abría en las zonas populares. ¿Qué más podíamos pedir? Un dios protector de los humildes, un billar para los jugadores, marihuana para los vagos, leche para los becerros y baños de vapor para quitarnos la mugre los fines de semana. En este barrio creció mi padre, sus dos hermanos menores y, para hacerle la vida más sencilla, también su esposa, cuya familia vivía al oriente de la calzada de Tlalpan, en un edificio de departamentos a mitad de la calle Zacahuitzco.

Mi madre, descendiente de italianos tiroleses e hija menor de un matrimonio divorciado que no encontró prosperidad en la Ciudad de México, conoció a su esposo desde los diecisiete años, cuando comenzaba a tomar silueta de rumbera. Casarse con el hombre más feo que había conocido, según sus palabras, tenía una sola finalidad: abandonar la casa de su padrastro. «Además no sabía bailar, yo lo enseñé.» Este hombre de nariz plana y cabello rizado se convirtió en su pasaporte espontáneo, ¿adónde?, ella no lo sabía. Si hubiera reflexionado o sopesado las consecuencias simplemente no tendría esas venas tan azules en el cuello. Firme en sus propósitos, se marchó de la casa de su padrastro, para adentrarse en los terrenos de un hombre de áspero temperamento e insípida educación. Se equivocó, por cierto, pero en estas cuestiones todos se equivocan porque, probablemente, la única persona con la que uno debería unirse para siempre habita en un suburbio de Tailandia. El único hombre con el que mi madre debió casarse era un ciudadano sueco que por aquellos tiempos se dedicaba a apilar ladrillos en una bodega de Estocolmo. No sólo era, mi padre, desde el punto de vista de su mujer, un hombre poco agraciado, vulgar como un elote, sino que su vanidad sobrepasaba los límites de la discreción. Un fanfarrón, alguien que se ríe del mundo y que sólo con desearlo obtiene lo que desea. Una confianza inaudita en sus movimientos le abría paso entre las piedras. La prueba de ello es que siendo un ser sin gracia persiguió con seguridad arrogante a una mujer que, según el sentido común, merecía un destino cinematográfico. Al menos ésta es la versión de los hechos que ella narraba a sus hijos: la conozco de memoria porque la escuché de su boca infinitas veces. «No sé si lo hubiera encontrado –al famoso *hombre mejor*–, pero por lo menos tenía derecho a buscarlo», concluía ella en la agonía de su dramático *crescendo.*

Sentado en una de las cabeceras de la mesa, sin pronunciar palabra, fingía concentrarme en las migajas esparcidas sobre el fondo del plato. Cuando levantaba la vista lo hacía para husmear en la calle que serpenteaba en el desconocido pueblo español que un pintor había iluminado en el cuadro que ocupaba una porción considerable de la pared. Ahora tengo deseos de creer que el modelo había sido una población de Castilla, un villorio toledano de los años veinte. Esperaba, de un momento a otro, la orden de marcharme a la cama porque no era correcto, según rezaban nuestras odiosas costumbres, escuchar las conversaciones de los adultos, sobre todo una vez entrada la noche, ¿las diez?, hora en que ellos se relajaban y tiraban al agua las piedras acumuladas durante el día para tratar asuntos que los menores de edad no podrían comprender. Como si en verdad existiera algo no apropiado para los niños. ¿Acaso no somos la concreción de un chorro de leche que lanza un pene enloquecido? Como si nuestra sangre no contuviera desde un principio todos los vicios de los padres y sus ancestros. En un momento de silencio mi padre, sereno, como si tratara un asunto de relativa importancia, comunicó a todos en la mesa que había decidido inscribirme en una escuela militarizada. La primera reacción fue de asombro. Nadie había siquiera pensado en la posibilidad de que se me confinara en una escuela de esa clase. Podría tratarse de una estrategia de corrección, pero el anuncio impuesto de manera tan solemne tenía más cara de ocurrencia nocturna que de otra cosa. No, las bromas estaban descartadas en un hombre que no practicaba la risa delante de su familia. ¿Entonces? Después del anuncio comenzó una larga discusión que despertó lágrimas en mi abuela, una mujer de sangre endemoniada, pero noble en sus actos. De ninguna manera consentiría que su primer nieto, con sus escasos once años de edad, se transformara en un soldado: ¡un soldado! Además de sospechar que su esposo, mi abuelo, Patrocinio Juárez, había sido asesinado por un grupo de militares en Durango cuando su carrera política comenzaba a ascender, no solaparía que su nieto fuera educado con una disciplina tan ingrata como absurda. Si los soldados son como las garrapatas, como los hongos, están allí desde el principio de la humanidad, ¿cuál es su mérito? Me sorprendió ver llorar a una mujer de su carácter, pero lo que más me intrigaba era el hecho de que lo hiciera por mi causa. Si me ponía a hacer cuentas, aquélla era la primera vez que mi abuela soltaba unas cuantas lágrimas en mi honor. Había que celebrarlo.

–Sólo a los delincuentes se les inscribe en escuelas de soldados –dijo.

Aún conservaba su acento norteño, pero su cabello después de tantos tintes había perdido su color original. Sobre la mesa, como la crátera alrededor de la que todos nos reuníamos, estaba una charola con piezas de pan dulce que mi abuela compraba por las mañanas en la panadería San Simón: cuernos, orejas, corbatas, panqués. Acostumbraba guardar este pan dentro de una cacerola de peltre para que no se pusiera duro. Efectivamente, el pan no se endurecía, pero se ablandaba tanto que daba asco comerlo en el desayuno. La cacerola con pan, el recipiente de los búlgaros donde se agriaba la leche, la damajuana de barro para almacenar agua, eran todos elementos de la naturaleza muerta que mi abuela confeccionaba pacientemente en su comedor.

–No es una escuela de soldados –replicaba mi padre–, son cadetes, estudiantes como otros cualquiera. Creo que ha llegado el momento de que mi hijo se entere de que no ha nacido en un paraíso.

–Para saber que la vida no es un paraíso no hay que encerrarse en un corral de puercos. –La recuerdo bien. Llevaba puesto un abrigo de colores con un cuello afelpado, imitación de piel. A sus pies una gata blanca: «Nieves», la llamaba. Y «Puta Nieves» cuando se ponía en celo. Y «Maldita Puta Nieves» cuando orinaba en el linóleum.

–Jóvenes cadetes. –A mi padre le molestó que se les llamara puercos a mis futuros compañeros.

–Pequeños marranos –acentuó la abuela. Y punto.

Mi madre, a contracorriente de su paciencia habitual, amenazó con levantarse de la mesa si volvía a escuchar cualquier palabra relacionada con una escuela militar:

–No toleraremos que cometas una tontería así con este niño.

Hablaba en plural, haciendo suyas las palabras de su suegra, elevando la voz a tonos increíbles. Su hijo mayor, en quien ella encontraba una sensibilidad fuera de lo común, no tenía por qué ser condenado a vivir en un colegio militar. Era demasiado pronto para echarme a perder.

–¿Tú qué vas a saber? Ocúpate de tener a los niños limpios: yo me haré cargo de su educación.

–No estamos en Alemania ni en guerra para que deba ir a un internado militar.

Para mi madre, todas las guerras se relacionaban con la Alemania nazi. Su hijo sería un artista, un pintor, no un soldado alemán que debe pedir permiso hasta cuando quiere ir al baño.

Fue entonces cuando salté de mi asiento. Si bien mi madre había prohibido mencionar la palabra *militar* en la mesa había sido ella, me imagino que llevada por su desesperación y la ausencia de talento político, quien puso sobre la mesa una palabra que me caló en los huesos: *internado.* La alusión a una escuela militarizada no me causó mayores sobresaltos porque semanas antes mi padre, calculador, me había comunicado que una de las opciones para continuar mis estudios en la secundaria era convirtiéndome en cadete. ¿En qué consistía ser cadete? No lo sabía con exactitud, pero tampoco me importaba gran cosa. A los once años habría aceptado ir al rastro sin hacer preguntas. Mi padre había preparado bien el camino anticipándose a la belicosa reacción de las mujeres, pero lo que jamás me dijo fue que estaría internado, desterrado como un maleante.

–Un momento –se defendió él, acorralado por las críticas–, no he hablado de internar al niño. Estará medio interno, solamente. Puede volver a su casa para dormir. Y si la escuela no estuviera tan lejos podría comer aquí todos los días. ¿Eso les parece trágico? ¿Dónde está el drama? Además, no es una escuela militar, sino un colegio con disciplina militar; una escuela como existen tantas, sólo que aquí no le permitirán comportarse como animal. Ustedes estarán satisfechas cuando termine en la cárcel: quieren un héroe, un estudiante en huelga.

–Los estudiantes no tienen nada que ver aquí –arremetió mi abuela. Yo había reunido las migajas, las había triturado para formar sobre el plato un ojo que me miraba burlón.

–Claro que tienen que ver. Para ser un rebelde lo primero que uno debe saber es contra qué se rebela. Un estudiante no incendia o destruye el instrumento con el que se gana la vida un obrero –dijo mi padre.

Aludía a que durante septiembre del año sesenta y ocho un grupo de estudiantes universitarios había prendido fuego a varios trolebuses para protestar por las represiones policiacas. Entre los vehículos quemados estaba el que conducía mi padre desde Ciudad Universitaria hasta el Palacio de los Deportes. Existe una fotografía donde se le puede ver a un lado de los restos calcinados de su trolebús. Es para romperle el alma a cualquiera.

–Pero no tenían que matarlos –mascullo la abuela.

–Claro que no. Yo lo único que sostengo es que su rebeldía era contradictoria. Defendían a los obreros y buscaban su respaldo, pero entretanto destruían sus fuentes de trabajo. ¿Qué te parece?

–No estamos hablando de eso.

–Es justamente el tema. Quiero proteger a mi hijo de esas contradicciones desde ahora. Y una razón de peso para inscribirlo en una escuela militar es que está demasiado cerca de su madre, de ustedes. Me lo van a volver marica. Es un niño, no su maldita dama de compañía. –¿De dónde sacaba mi padre esa clase de frases? Estrictamente hablando nadie en la familia había tenido contacto con una dama de compañía.

Las mujeres de mi casa no eran duchas a la hora de enfrentar los argumentos paternos. No obstante, cuando sospechaban que se estaba cometiendo una injusticia, reaccionaban sin necesidad de argucias retóricas: primero la pasión, el miedo, la sospecha de un atentado, y después las palabras. Lo primero, lo imprescindible era repeler los ataques; ya más tarde vendrían las aburridas negociaciones. La noticia de mi reclusión en una academia militarizada llegó de manera sorpresiva cuando sólo faltaban unos días para que comenzaran las inscripciones a la secundaria. No había tiempo para preparar una contraofensiva decorosa; tampoco para una digna resignación. Mi padre sabía cómo usar las palabras. No sé en qué consistía exactamente su talento, pero podía anunciarte tu muerte de tal manera que pareciera un acto sin importancia. O, por el contrario hacía que un acontecimiento sin relevancia alguna pasara como el más grande suceso de nuestras vidas.

Su poder no provenía de sus bíceps popeyescos, ni de sus ojos de toro enfurecido, sino de sus palabras. ¿Cómo oponerse a ellas? Él hablaba desde una tribuna vitalicia a la que no llegaban las objeciones del pueblo. Y yo era el pueblo. Y mi madre era también el pueblo.

–Es mi derecho decidir sobre su educación, el mínimo derecho que se le concede a un padre. –El supremo juez aludiendo al derecho, nada menos–. Si estuviera en sus manos lo tendrían en la cocina cortando cebollas.

–Allá es donde van a ponerlo a cortar cebollas. Los militares son todos unos criados –dijo mi abuela. Ella sabía, por experiencia, que la decisión estaba tomada y que ni el llanto de todas las vírgenes podría poner la balanza de su lado.

–Estos criados dominan decenas de países en el mundo y todo el mundo los respeta.

–Tienes razón, pero eso los vuelve todavía más siniestros. Criados armados, no puedo imaginarme un mundo peor.

Una semana antes del anuncio oficial, mi padre echó mano de su mejor retórica para convencerme de que la escuela militarizada nos revelaría una mina de hermosas actividades: los cadetes viajaban varias veces al año con destino a países lejanos; los cadetes hacían deporte en instalaciones de primera categoría, como albercas profundas o gimnasios de duelas relucientes; los cadetes eran admirados por las mujeres, que no podían evitar mirarlos cuando pasaban a su lado; los cadetes, expertos en balística y artes marciales, eran, en consecuencia, respetados por todos los jóvenes de su edad, que veían en ellos a hombres superiores. Se trataba sólo de un montón de engaños porque, como comprobaría más tarde, los cadetes de esa escuela, a excepción de una vez al año que salían a hacer prácticas militares a Toluca, no viajaban jamás; ni tampoco practicaban deporte en bellas instalaciones de duela y mosaicos azules; ni eran respetados por otros jóvenes que, por el contrario, se divertían gritándoles majaderías en la calle; y mucho menos eran admirados por las mujeres, que en ese entonces comenzaban a enamorarse de los hombres con cabello largo. Las mujeres despreciaban ejércitos enteros de gladiadores y hombres superiores con tal de meterse a la cama con un cantante de pelos largos: amaban las cabelleras por sobre todas las cosas, por encima incluso de los caramelos. Nunca imaginé cuánto podía ser admirado mi cabello por las adolescentes hasta que lo contemplé cercenado y esparcido como aserrín en el piso de una peluquería: el cráneo rapado estaba en el aparador, el casquete corto a cepillo, peor que ser castrado, y el cráneo topológico. Y, no conforme con mentirme, mi padre me pidió discreción, es decir silencio absoluto, porque *nuestros planes* podían venirse abajo a causa de la intransigencia de su mujer: «Sabes bien cómo es tu madre.» Habría de escuchar durante décadas esta frase, como si con sólo pronunciarla mi padre despertara en mí una complicidad que nos pondría a salvo de la atribulada naturaleza femenina. Los lobos reconocemos nuestros aullidos a cientos de metros de distancia, los escuchamos abrirse paso en la espesura. Los lobos sabemos que las mujeres poseen ciertas obligaciones que cumplir, las han tenido durante siglos, y una de ellas es permitir a los hombres educar a los hombres, enfrentarse, moldearse entre sí como dos golpes secos: el tiempo transcurre, pero los animales rugen, conquistan, desgarran la carne, y ojalá fuera de otra manera, pero así son y serán las cosas.

He allí el discernimiento de un padre ansioso de que su hijo encarnara en un cómplice natural al que no debía explicársele nada. Qué caso tenía exponer en un pizarrón los pormenores de la hermandad masculina si desde que nacemos sabemos cómo son las mujeres. Desde que somos aire envenenado, polución, celulas, fetos conocemos los aromas de la entrepierna femenina porque justo desde ese agujero negro de contorno afelpado hemos sido arrojados a este mundo. Y ningún jabón, ni siquiera el jabón del perro agradecido, podrá atenuar ese olor de nuestra piel, de nuestra mente; es ésta la diferencia trascendental: nacemos con el olor de su sexo bamboleándose en los pasillos de nuestra mente. Y ponernos al resguardo de sus complicaciones metafísicas es el único recurso que tenemos para gobernar la estúpida marcha de las cosas. Según las avanzadas teorías de mi padre, su hijo no requería que nadie lo instruyera en los asuntos de la fraternidad masculina porque había nacido hombre y tendría forzosamente que comprender. Si no lo hacía era yo un idiota, un traicionero o un maricón, aunque cabía la posibilidad de que fuera las tres cosas al mismo tiempo.

Cómo me incomodaba escuchar la frase «Sabes bien cómo es tu madre». ¿Por qué tendría yo que saberlo? Como si ella fuera una incómoda gotera que ni el mejor fontanero, ni siquiera el fontanero más borracho del rumbo, ha logrado remediar, o una tormenta inesperada que llega para echarnos a perder los días de campo: ya sabes cómo son estos tiempos, nunca sabes cuándo la tormenta va a quebrar las ramas del alcornoque. Y aun cuando mi padre tuviera sus razones para pensar así, ¿de qué serviría reparar esa tubería si la casa estaba podrida desde sus cimientos? Tendríamos que acostumbrarnos a vivir con goteras por el resto de nuestros días.

A esa edad, once años, las palabras de mis padres resultaban capitales, pero sobre todo las de ella. Aquella mujer tenía más conocimientos de nosotros que cualquier otra persona en el mundo: era una experta. Al menos esto pensaba yo después de hacer una primitiva suma del tiempo que ambos pasaban al lado de sus hijos. Las sumas sencillas tienen el poder de aclarar cualquier embrollo, por complicado que sea. Dios también es una suma, lo escuché de labios de ella: «Dios es la suma de todos nosotros, más los lápices, los perros y todas las ramas que nacen de los árboles.» Y mi padre no podría escapar de ese destino: ser la suma de sus actos. El hombre desaparecía desde las seis de la mañana dejando un rastro de lavanda para volver a casa a las nueve de la noche, llamaba por teléfono una o dos veces durante la tarde, volvía para poner orden en el establo, cenar, dar el dinero del gasto cotidiano y descansar en su cama ancha adonde mi madre llegaba después de apagar las luces de los cuartos restantes. Mis padres dormían en una amplia habitación que estaba en la azotea de la casa, un cuarto fresco al que se llegaba por una escalera de hierro en forma de espiral, una escalinata endeble, herrumbrosa, que se cimbraba en cuanto resentía el peso de una persona. Así, los pasos de mi madre cuando ascendía los escalones anunciaban el verdadero ocaso del día. Unos pasos que continúo escuchando cuando en las noches me despierto de forma súbita recordando que ella también está muerta.

Los días que siguieron a la discusión sobre mi ingreso a la escuela militar se sucedieron tranquilamente. Sin ser explícita se declaró una tregua, pero la reconciliación no llegaría hasta muchos meses después cuando ya nada tenía remedio. Lo que sí hubo fue resignación, e incluso mi padre prometió, para suavizar el escabroso asunto, sacarme de la escuela en caso de que no la encontrara de mi agrado. Nadie le creía.

–Si no se adapta lo inscribimos el año siguiente en una secundaria del gobierno. No es necesario que sufra.

–Como si no te conociera –le espetaba, incrédula, su madre–. Ni aunque me lo firmes te creo.

Un embuste más que, al menos, cumplió la función de hacer menos amargos los días para las mujeres de mi casa. Carajo, si mi madre no hubiera creído en la primera mentira de su esposo, si no la hubiera impresionado con su verborrea y su garbo de matón a la Charles Bronson, sus zapatos del número ocho, su perfume en cascada, me habría evitado el infortunio de patalear boca arriba en una cuna que estoy seguro era incomodísima. Un poco de perspicacia materna, de malicia, y yo no estaría ahora escribiendo estas páginas: me encontraría satisfecho y sonriente en el infinito ejército de los no nacidos. ¿Por qué se le presta tanta atención a las mentiras de los hombres? No soy capaz de imaginarme la clase de historias que habrá fabulado mi padre para llevarse a una mujer de ojos verdes a la cama. Si nos vamos a los hechos su imaginación ha resultado, por mucho, superior a la mía.

La visita a las instalaciones de la escuela con vistas a comprar mis uniformes fue desoladora. Lo fue por dos diferentes razones: la primera porque el edificio con su enorme patio de cemento en el centro me pareció triste y carente de gracia: ¿dónde estaban la alberca, los trampolines, la fosa de clavados, el gimnasio olímpico? La escuela tenía aire de vieja penitenciaría, de correccional, más que de institución educativa. Los edificios, el aire viejo acumulado en los rincones, el blanco abúlico de los muros, todo conspiraba para ofrecer una mala impresión a quienes pisábamos por primera vez su territorio. La segunda causa de mi desánimo fue que pese al uniforme alamarado, a los escudos y escarapelas que adornaban el chanchomón, pese a la filigrana de las charreteras nada de eso despertó en mí el entusiasmo que mi padre había calculado. Una vez más se había equivocado a la hora de hacer las sumas. No sé cómo pudo suponer que sentiría emoción por llevar pegado al cuerpo esos pedazos de lata. Si los relojes dorados no empujaban mi espíritu en ninguna dirección, no veía por qué habían de hacerlo los botones del uniforme o el chapetón de la fajilla. De haberme tenido que enfrentar en una pelea a muerte con un niño uniformado estoy seguro de que no habría sentido ningún temor; al contrario, aun sin conocerlo a fondo sabría que me estaba enfrentando a un pusilánime. La verdad es que nunca me han intimidado las medallas ni las insignias. En cambio, las botas negras de cintas largas como serpientes o los uniformes opacos me hacían estremecer de temor. Las batas ensangrentadas de los carniceros, los overoles de mezclilla raída de los obreros me causaban más miedo que un militar con plumas o charreteras doradas. Y si fuera yo el jefe de un ejército mis soldados vestirían de negro, de luto perpetuo: y además les ordenaría suicidarse a mitad del campo de batalla.

De vuelta a casa, mi padre extendió las compras recientes sobre la cama. Llamó a su madre, a su esposa y a mis hermanos para hacerles una breve exhibición. Se hallaba tan entusiasmado que no me dio el corazón para marcharme. Sé que habría comprendido el desaire, pero me mantuve estoico al pie de la cama mientras él explicaba las funciones de cada una de aquellas tonterías. Allí estaban mi crinolina, mis zapatillas de lona, mis mallas, la diadema diamantina, ¿acaso los militares son modelos de pasarela? Si lo que desean es impresionar al enemigo con tanta lentejuela sólo van a matarlo de risa.

El nuevo sueldo de administrador le permitió a mi padre comprarse un Ford negro que sus hijos lavábamos todas las mañanas antes de que él se marchara a trabajar. Los primeros cinco días de la semana sólo usábamos agua y jabón, pero los sábados teníamos el deber de encerar y pulir el armatoste. Lavar una lámina que en unas horas volvería a ensuciarse, a llenarse de polvo, a opacarse: los pequeños sísifos encaramados al auto, frotando, cepillando el corcel del guerrero. Era su tercer automóvil en menos de dos años. Los dos primeros habían sido un antiguo Dodge descapotable y un Plymouth azul cobalto con aletas de tiburón en la parte trasera que en sus mejores tiempos ofreció servicio de taxi. Sin embargo, por ninguno de sus dos primeros autos había sentido él tanto orgullo como por el Ford, modelo setenta, ocho cilindros y no sé cuántos cientos de caballos de fuerza. Temeroso de que los vándalos le hicieran daño a su automóvil lo guardaba en una pensión sin techo, un terreno pedregoso que se encontraba a unos metros de casa y en cuyo centro daba sombra un robusto pirul de ramas largas, En este árbol hacían nido toda clase de aves, pericos, golondrinas, urracas. Los malditos pájaros piaban desde las cinco de la mañana y guiados por la locura volaban desde el pirul hasta la higuera de la casa vecina. Sobra decir que los hijos debíamos limpiar la cagarruta que dejaban caer las aves sobre el toldo del Ford negro de ocho cilindros: un detalle suficiente para odiar a los pájaros.

Cuando estaba de buen humor, mi padre me permitía conducir el auto desde la pensión hasta la puerta de la casa. Cómo me habría motivado que Ana Bertha, mi vecina y compañera de clases, se apareciera por la mañana cuando tenía el volante aprisionado en mis manos, pero ella se levantaba un poco más tarde y bostezaba por las mañanas hasta que el sol comenzaba a calentar; y seguía bostezando hasta después de media mañana cuando llegaba la hora del primer descanso: Ana Bertha había nacido para poner huevos y cualquier otra actividad le parecía poca cosa. En ese mismo auto, mi padre me condujo por primera vez hasta las puertas de la nueva escuela en el barrio de Tacubaya. Ni una palabra de ambas bocas. Sólo la música instrumental de 620 AM interrumpida de vez en cuando por una voz varonil que decía: «620, la música que llegó para quedarse.» Melodías para un funeral cuyo cortejo estaba formado por un solo auto: Ford, negro, modelo 1970. La tela de mi uniforme se palpaba tan dura como un cartón, pero una noche antes mi propio padre había lustrado mis botones con una sustancia que le recomendaron en el almacén donde compró los uniformes. Mi madre no ocultó que ver a su pequeño hijo de once años vestido como militar le causaba una impresión aceptable. Después de todo el jodido mozalbete, el futuro artista se encontraba con su primer obstáculo. Mi hermano Orlando me miraba también con cierta admiración, pero estoy seguro de que no deseaba estar en mi lugar, sobre todo después de presenciar lo que el peluquero había hecho con mi cabeza. «Eres como una zanahoria mordida», me dijo, pero sus palabras no me causaron el daño suficiente para lanzarme a golpes contra él. Si todo fuera tan indefenso como un apodo. Más bien me sorprendió la sensación de que la vida cambiaba a traves de mí y de que nunca podría oponerme a ella, de que era utilizado por algo que carecía de nombre o rostro, pero que se aprovechaba de mí para existir. La abuela se mostró más práctica. Una noche antes de mi primer día escolar me sugirió obedecer, poner atención en mis estudios, no entusiasmarme con las armas y, sobre todo, no permitir que nadie me pusiera una mano encima. Si uno de esos criados con uniforme me golpeaba, ella misma se presentaría en la escuela para reclamar venganza.

–He tenido suficiente con la muerte de Patrocinio. Los militares no volverán a causarme ningún dolor.

Si la vieja se hubiera enterado de la cantidad de golpes que me propinaron casi desde el primer día con todo tipo de objetos no le habrían sido suficientes los años que le quedaban de vida para vengarme. Una muerte puede vengarse, ¿pero un puntapié cargado de desprecio?

–Nadie lo lastimará, madre. Va a una escuela, no a un reformatorio. ¿No ves que pones nerviosa a Elva con tus comentarios?

–Eso lo veremos. A la primera marca que vea en su cuerpo te hago responsable.

–¿Y qué vas a hacer? –preguntó él, retador.

–Lo primero es sacar a mi nieto de esa escuela. Lo segundo es correrte a ti de mi casa.

Estaba más que en su derecho. Vivíamos en su casa porque mi padre había invertido sus delgados ahorros en un terreno cercano al canal de Cuemanco en el sur de la ciudad. En ese terreno de doscientos cincuenta metros cuadrados construía con paciencia, a paso lento la que sería la nueva jaula para los críos. *Una casa propia,* cuántos sueños despierta esa frase en una época en la que todos los lotes de la tierra tienen ya propietario. Y desde entonces robarle un miserable terreno a los propietarios representaba una epopeya que debíamos festejar como si hubiéramos ganado la batalla más importante de nuestras vidas. Un domingo de cada mes la familia entera visitaba la obra negra que, desde la perspectiva de los niños, era una casa en ruinas con los mismos atributos de un campo de guerra: bardas sin terminar, zanjas profundas, charcos, monolitos de ladrillo rojo, cerros de arena, andamios laberínticos. Era de suponer que poseer estas ruinas le permitía a mi padre no conceder demasiada importancia a las amenazas de ser arrojado a la calle. No tenía sentido prestar atención a los amagos de su madre cuando en su horizonte se erguía imponente una casa de dos pisos, tres baños, cuarto de servicio y cocina integral. Al contrario, podía portarse lo patán que quisiera. En cambio, el resto de la familia sí que temía los arrebatos coléricos de la abuela. Cómo no temer a una mujer que ocultaba una pistola calibre veintidós en el cajón de una cómoda a un lado de las fotografías color sepia de su esposo, un arma modesta en forma de escuadra que sus nietos habíamos visto en contadas ocasiones cuando la lustraba con una franela untada de aceite. Una pistola nada menos, negra, deslumbrante.

«No se les ocurra husmear en este cajón», nos

advertía, siempre demasiado tarde porque, cuando ella se ausentaba, mi hermano y yo extraíamos el arma de la cómoda, la colocábamos sobre la cama y, cautos, la observábamos largos minutos, como si fuera un cocodrilo salido del estanque. Sólo un niño conoce el verdadero valor de un objeto de esa naturaleza, un valor que no tiene que ver con darle muerte a otro hombre, sino con un misterio más profundo. Y cada vez que la abuela entraba en cólera los niños no olvidábamos que poseía un arma y que podía utilizarla para descargar su furia sobre nosotros. Incluso, una tarde mientras ella miraba su telenovela, la incertidumbre me llevó a preguntarle si no sería mejor deshacerse de aquel peligroso objeto.

–No, de ningún modo. La necesito para defenderme cuando ustedes se vayan de esta casa –respondía con una fatua sonrisa ensimismada. ¿Podría disparar el arma una mano con uñas tan largas como las suyas?, nos preguntábamos. Una interrogante cuya respuesta nunca pudimos indagar.

–Las balas son muy pequeñas, ¿se puede matar con ellas?

–No sé, yo nunca he matado a nadie. Si tengo esta arma conmigo es porque soy una vieja.

–No la necesitas –dije. Ella estaba sentada en una silla bajo la ventana. La luz de la tarde caía sobre su cabellera dorada.

–Sí la necesito. Todos los ancianos deberíamos

estar armados. Somos los únicos que tenemos ese derecho.

No había fachada más sosa que la de mi escuela secundaria: un muro gris, plano, y una puerta metálica en el centro: hasta un simio, si se lo exigieran, realizaría un diseño más decoroso. El primate imaginaría al menos una fachada con friso, jambas de cantera, rodapiés y una enramada cubriendo parte del muro. La fachada medía más de cinco metros de altura y a la hora de moverse el portón herrumbroso se arrastraba sobre el cemento provocando un chillido insoportable. Un culo de rata, eso era el portón de la entrada principal: un culo de rata por donde entraban y salían los estudiantes. Esta puerta se abría a las siete de la mañana para cerrarse una hora después, cuando la banda comenzaba a hacer honores a la bandera. Durante el tiempo que la puerta se mantenía franca, un pelotón de la policía militar impedía la entrada a los cadetes que mostraran imperfecciones en su uniforme. Si no habías pulido los botones dorados o la forma del chanchomón no era perfectamente circular, te devolvían a casa con una patada en el trasero. Tampoco se permitían las botas opacas, ni mucho menos la ausencia de una pieza en el uniforme. Hasta los pisacuellos tenían que ser lustrados para que brillaran como pequeños diamantes. No era nada sencillo entrar por ese culo fruncido ni sortear la mirada minuciosa, sádica de los policías militares. Y, sin embargo, el primer día de clase hicieron excepciones porque muchos de los cadetes de nuevo ingreso no conocíamos a conciencia el reglamento. Los policías militares hallaban un placer sibarita en perdonar tus faltas, pero sólo por tratarse del primer día.

Diez minutos antes de las siete de la mañana el Ford negro se estacionaba frente a la escuela. Y si para mi padre la puntualidad representaba una encomiable virtud, para su familia, en cambio, la costumbre de presentarse treinta minutos antes a cualquier cita significaba, en todo caso, una enfermedad, una manía que afectaba a los hábitos de todos nosotros. No era muy diferente de vivir con un lisiado que obligaba a los demás a marchar a su propio ritmo. Si al menos obtuviera una ración monetaria por llegar temprano, si al menos esas horas robadas al sueño tuvieran una recompensa evidente.

En vista de que mi abuela se negaba a salir de su recámara para desearme buena suerte o darme un último consejo, la despedida se tornó un poco sombría. Su ausencia auguraba tiempos difíciles. De todas maneras, recibí la bendición de mi madre que me fue concedida con especial fervor y unas palmadas de mi hermano menor que sentí como un leve empujón a la tumba. Mi hermana, en cambio, dormía a pierna suelta ajena a la dramática despedida. A sus siete años le importaba un bledo si le cortaban la cabeza al resto de sus hermanos porque a esa edad se puede cambiar de hermanos, padres y perros sin soltar más que unas cuantas lágrimas. En el camino a la escuela, mi padre sintonizó en el radio una de sus frecuencias favoritas, 620 AM. Como la música instrumental le pareció un tanto lúgubre para la ocasión cambió a la estación de las noticias, sin embargo ninguno de los dos puso atención en ellas. Ambos, sin confesarlo, estábamos seriamente preocupados por mi futuro. Mi corazón latía como el de un pescado recién sacado del agua al que le espera un sartén rebosante de aceite: mi futuro, nada menos. Pese a ser experto en ocultar sus pensamientos, mi padre temía haberse equivocado y ese temor se revelaba en su sospechoso silencio. Jamás lo reconocería, pero aquella mañana mientras observábamos en silencio el culo de rata custodiado por dos pelotones de policía se arrepintió de no hacer caso a su madre y de entregarles un hijo a los militares.

La entrada en el culo de rata fue relativamente sencilla. Los policías militares, en realidad alumnos investidos con ese cargo durante una semana, me detuvieron un minuto para hacerme observaciones sobre mi aspecto. Su gesto fiero sumado a mi temor de ser lanzado a la calle en presencia de mi padre me hizo enmudecer. Las valencianas del pantalón tenían que ser más altas para permitir que las botas se mostraran enteras y la punta de la corbata no podía estar suelta, sino escondida entre dos botones de la camisola.

–Hoy te permitiremos ser un idiota –me dijeron.

Si se miraran la jeta en un espejo no serían tan exigentes: ¿es posible tener papada a los trece años? ¿Cómo han permitido que los rapen si tienen cicatrices en la nuca?

Una bailarina a punto de entrar a escena. De modo que éstos eran los feroces custodios de la puerta: ujieres meticulosos preocupados por el atuendo de las jóvenes bailarinas. Sólo un detalle me sobresaltó: mi cabello no estaba tan corto como lo exigía el reglamento escolar. Jamás en mis once años de vida me había cortado tanto el cabello, pero en esta jodida escuela se me exigía que me rapara todavía más: «Tienes que raparte a cepillo; pídele al peluquero casquete corto a la *brush*», me recomendaba el policía militar, un gordo de cachetes gelatinosos. Maldita sea, si a fin de cuentas el embrollo podía solucionarse con un poco de gomina. Los famosos fijadores de cabello para hombres Wildrot o Alberto VO 5 harían las cosas más simples sin necesidad de acudir a las tijeras y a la podadora. Los cadetes mexicanos no marcharíamos jamás a la guerra, ni pasaríamos extensas jornadas agazapados en una trinchera. No teníamos por qué temer a los piojos o a que las aves hicieran nidos en nuestra cabellera. Como si así fuera, las revisiones de corte de pelo se llevaban a cabo tres veces al mes. Cada diez días tendría que verle la cara a un peluquero cuando antes lo visitaba sólo tres veces al año. El peluquero pasaría a formar también parte de mi familia, sería casi como mi abuela, o el tío Carlos o la gata Nieves. En ese aspecto, mi padre se había comportado de manera sensata tolerando que lleváramos una discreta melena, no extravagante, pero al menos sí decorosa: la melena en un niño, a diferencia de los adultos, resultaba en su opinión perdonable. También nos permitía usar pantalones acampanados de varios colores y zapatos de plataforma que él mismo compraba en la tienda Milano, a un lado del metro Nativitas. El hecho de que deseara una disciplina acartonada para su hijos no significaba que les negara los beneficios de la moda. Los padres siempre quieren lo peor para sus hijos, porque lo peor es lo único que dura. Y para que esto sea posible hay que clavarles pequeñas agujas en los tobillos y en las plantas de los pies.

Una vez franqueada la entrada al colegio, me encaminé hacia unos escalones de piedra, próximos al asta bandera. Desde esa posición vi el extenso patio de cemento poblarse de cadetes (ya desde entonces me gustaba apartarme para mirar a los otros desde una posición privilegiada: un francotirador que jamás dispara, y se conforma con husmear a los enemigos desde la mira). Los alumnos más grandes pertenecían a la preparatoria, los menores a la secundaria. Era fácil reconocer a los estudiantes de nuevo ingreso porque, como yo, se mantenían quietos como pollos friolentos, tensos, en espera de una orden que les propusiera una función o los remitiera a su salón de clases: cervatos barruntando la presencia del león que en el momento menos pensado se manifestaría con todo su poder. No podría ahora, tanto tiempo después, describir las emociones que se apoderaron de mi ánimo en aquel preciso momento, pero estoy seguro de que afronté los hechos con bastante dignidad, con una resignación sorprendente, casi mística, como el joven fraile que no puede correr de vuelta a su hogar y se lanza de bruces en el templo de Dios. Fue la primera vez que experimenté esa emocionante y amarga sensación de lejanía. Ninguna de las dos escuelas a las que asistí en la primaria –Perseverancia y Pedro María Anaya– guardaba ese aspecto de exilio, de destierro que impregnaba todo lo que se relacionaba con la academia militar. Además, toda mi vida había permanecido cerca de la familia, a unos pasos de los colegios que, en cierto modo, sólo eran una extensión menos amable de la casa.

Cuando las puertas del culo de rata se cerraron faltaban tres minutos para las ocho. Al igual que otros padres que no conocían los pormenores de la rutina escolar, el mío permaneció atento cerca de la puerta hasta que se convenció de que su hijo no sería rechazado. Después abordó su automóvil y se perdió en el tráfico que todas las mañanas se hacía nudos a la altura de la avenida Revolución. En realidad la policía militar tenía órdenes de no rechazar a nadie y los alumnos que no cumplían con los requisitos eran arrestados durante la primera hora de clase: las autoridades no estaban dispuestas a perder la oportunidad de que esas manos limpias, juveniles, aún impregnadas del perfume materno, asearan los excusados. Al menos en eso mi padre podría permanecer tranquilo: su hijo no sería lanzado a la calle porque en caso de violar el reglamento estaría hincado en un baño con las manos hundidas en un cazo de mierda.

Cerca del asta bandera, a un costado de la caseta de mando, un soldado sopló su corneta con tanto ímpetu que desde las primeras notas un leve estertor conmovió mi estómago. Aquellas notas, impetuosas como solemnes, no podían anunciar nada bueno; la cara del soldado, deformada por el tributo eólico, anticipaba más de una desgracia y las venas de su cuello se inflamaban como los trazos de un pintor furioso sobre una tela morena y dura. ¿Cuántos muertos no se revuelcan de indignación en sus tumbas cuando escuchan gritar una corneta? Los alumnos que conocían ya los detalles del negocio corrieron a formarse en el patio: lo hacían con aplomo fanfarrón, acaso para diferenciarse de quienes no entendíamos lo que estaba pasando allí. Desde la caseta de mando un oficial, micrófono en mano, daba las instrucciones necesarias para evitar la confusión. Los alumnos inscritos en primero de secundaria tenían que colocarse en el extremo derecho del patio, a un costado de las canchas de baloncesto, ordenaba la voz del teniente Oropeza. Sólo un cínico podía llamar canchas de baloncesto a unas estructuras medio vencidas que apenas sostenían el tablero de madera. Las instalaciones deportivas más modernas de México, me había dicho mi padre meses atrás. Caminé con piernas temblorosas rumbo a un destino que ya no podría modificarse. En vez de dirigirme en línea recta hacia donde se formaban los alumnos de nuevo ingreso, rodeé el perímetro del patio sorteando algunos escalones hasta que una voz a mi espalda me increpó. No comprendí sus palabras, pero a juzgar por el tono y sus violentos ademanes el soldado me ordenaba caminar más aprisa. La primera vez que una persona se dirigió a mí en esa escuela fue por medio de un dramático gruñido. Ladridos, gruñidos, muecas: eso era lo que me esperaba entre todos esos maleantes. Los animales corríamos a nuestras jaulas azuzados por los pastores mientras la voz grave, operística del teniente Oropeza gritaba instrucciones desde la cabina de mando, un cuarto de treinta metros cuadrados con amplios vitrales que dominaba el patio mayor en toda su extensión. Dentro de la caseta había un escritorio, un archivero, una máquina de escribir, un calendario, un aparato de sonido y una rasuradora eléctrica para trasquilar a quienes no cumplieran con el corte de cabello adecuado. No había nada más.

Esa tarde consumida casi en su totalidad por la apremiante oscuridad de la noche, mi madre se mostró ansiosa por conocer los detalles que rodearon mi primer día de clases. Había reconocido en su hijo los restos de una mirada amedrentada que pese a mis esfuerzos para ocultar hizo de mi retorno a casa un acto casi fúnebre. Todo parecía indicar que la primera batalla había sido también una contundente derrota. Ni había nada que celebrar, ninguna epopeya que narrar, ¿los presos que vuelven a casa después de años de cautiverio tienen algo que contarle a sus esposas, a sus madres? Nada; es más conveniente que ellas crean que volvemos de una pradera dorada de espigas, de un hermoso campo de cebada donde permanecimos dedicados a la meditación. Cuestiones de dignidad, estúpidas si se quiere, pero necesarias para vivir en paz. Hay que mentir hasta donde la ingenuidad de los padres nos lo permita.

Las dos mujeres aprovecharon a conciencia la ausencia de mi padre para sepultarme con preguntas que habrían evitado si él estuviera presente. No eran precisamente cobardes, sino cautelosas y oportunistas. Estábamos sentados en la sala. La televisión a bajo volumen. Las vecinas habían iniciado una discusión, pero sus gritos apenas llegaban hasta nosotros. El paso a desnivel que salvaba la calzada de Tlalpan engullía cada segundo un auto. Y pese a todo la tarde era apacible, como si la tierra hubiera dejado de girar y los peatones se detuvieran bajo una sombra a llenar sus pulmones. Mis hermanos, instalados en un segundo plano, escuchaban con pervertida curiosidad mis mentiras, e incluso tuve la sensación de que los pájaros estaban también atentos a mis palabras. La jaula, colgada de una improvisada alcándara de metal, ondeaba en un extremo del pasillo; aún no había sido cubierta con la franela con que todas las noches mi abuela protegía a sus loros del frío. Hasta los jodidos loros deseaban conocer los pormenores de esa primera jornada. Mi madre mostraba una mayor preocupación por las viandas de media tarde. ¿Eran buenas?, ¿abundantes?, ¿tenían una sazón distinta de la suya?, ¿qué clase de chiles usaban para la salsa? Mi hermano Orlando preguntaba por el tipo de armas con que nos proveía el colegio; quería saber si había tenido oportunidad de disparar y si tales armas eran ametralladoras, bazucas o solamente rifles, si disparábamos a blancos inmóviles o a seres vivos, si las balas eran de salva o verdaderas. No sé cómo pude contener las lágrimas mientras contaba ese montón de mentiras: «Es una escuela normal, sólo que no hay mujeres.» «¿Para qué quiere mujeres un niño de tu edad?», respingaba mi madre. Qué pregunta tan descabellada. Quería mujeres para manosearlas como hacía con Ana Bertha, para besarlas como había besado a Roxana en quinto de primaria, para poner mis ojos sobre su cuerpo y recordar las piernas de

Carmela, la abanderada de la escuela Pedro María Anaya.

–No quiero mujeres, sólo que no estoy acostumbrado a ir a una escuela donde solamente hay hombres.

–Mejor, así te concentras en tus libros.

A nadie en casa le convenía enterarse de una realidad que en todo caso habría de modificarse más adelante. Tomé la decisión de callarme porque me preocupaba ver a mi familia enfrentada a una decisión paterna. No tenía caso llorar en el regazo de las mujeres. ¿Para qué meterse de nuevo bajo la falda? Si comenzaba a quejarme, no terminaría jamás y mis palabras me devolverían al útero, a la oscuridad. Después de todo, la experiencia no había sido tan mala, excepto por un par de patadas en el trasero o por el breve escarnio público al que me vi sometido cuando un oficial, el subteniente Mendoza, me preguntó si había nacido jorobado.

–Camine recto, cadete, ¿es usted jorobado?

–No, señor.

–¿Tiene las nalgas en la espalda?

–No, señor.

–Si lo vuelvo a ver jorobarse me lo voy a chingar.

–Sí, señor.

–¡Puta madre, ahora tenemos que enseñar a marchar a los parapléjicos!

Estoy seguro de que el subteniente Mendoza,

un hombre pequeño y menudo, envidiaba mi altura. En cambio, yo había crecido aprisa y mi espalda no terminaba de acostumbrarse. Esos centímetros de más no significaban nada para mí, una persona tímida que en lugar de exhibir con arrogancia su altura habría preferido vivir como una cochinilla bajo las piedras (cuánto daría Mendoza por tener un par de centímetros más, ¡asesinaría para obtenerlos!). No estoy seguro de si esa timidez provocaba que dudara de mis capacidades en todos los aspectos, pero carecía de confianza en mí. Mis sumas jamás eran las correctas y nada de lo que hacía me infundía seguridad. Que me hubieran pateado las nalgas o me dejaran sin comer y me llamaran jorobado frente al resto de los alumnos no ameritaba quejarme frente a esas mujeres que merecían una vida sin sobresaltos ni sufrimientos inesperados. De eso, al menos, estaba yo más que seguro.

El salón de clases se encontraba en el primer piso de un edificio de tres plantas diseñado en escuadra. Este edificio, pese a su importancia, ocupaba una sexta parte de las instalaciones. Al igual que la caseta de mando, los salones contaban con amplios ventanales a través de los cuales los oficiales vigilaban el comportamiento del alumnado. Sobra decir que la mirada acusadora de un alto mando sobre tu persona te obligaba a considerarte culpable hasta de haber nacido. Los muros estaban hechos de tabique blanco y las lámparas de neón que iluminaban el interior se encendían desde la madrugada. Una vez instalados en nuestras bancas, entró un oficial para leernos la cartilla: un hombre sin gracia, serio como una planta de sombra, moreno; sus tres insignias en las hombreras anunciaban que estábamos frente a un ser superior a todos nosotros. Si un cadete se atrevía a salir del salón sin permiso o se le descubría violando el reglamento sería arrestado de inmediato. Y si el delito era más grave nos esperaba un calabozo, o una celda correctora como se le llamaba también de manera científica e hipócrita. Fue la primera vez que la palabra *arresto* cobró una importancia inusitada en mi vida. A mis once años podía ser arrestado si violaba los reglamentos o asomaba las narices fuera del salón de clases. Arrestado como un criminal o un adulto que roba o asesina: desde ese momento tendría que andarme con cuidado porque cualquier estúpido con una insignia en los brazos o en los hombros podía arrestarme, golpearme, encarcelarme y hacer que recogiera con la lengua mi propio vómito. Luego de amenazarnos con la reclusión en el calabozo, los ejercicios a pleno sol –sentadillas, lagartijas, abdominales– o la limpieza de los excusados, el oficial nos comunicó que a partir de ese momento nuestro jefe de grupo sería el cadete Garcini. Gozaríamos de un descanso de nueve treinta a diez de la mañana, comeríamos a las dos para volver a clases a las cuatro de la tarde y, a excepción de los internos, podríamos regresar a nuestras casas después de las seis.

–Pueden largarse a las seis, pero después de unos días no van a querer volver a sus casas –dijo el oficial, ahogado en su propia risa socarrona.

Qué largos serían los días por aquel entonces. Cada hora invocaba una vida que se marchaba para siempre; sobre todo las tardes que antes se me hacían nada pateando una pelota en el callejón o en el parque de la calle Centenario. El tiempo parecía un borracho que no distingue el reloj y da mil excusas para permanecer sentado a una mesa, un borracho que no sabe que el día y la noche deben acabar. La ansiedad por volver a casa, el deseo de caminar a la tienda o al depósito de leche y comprar los litros necesarios para el desayuno y la cena, de dormir en mi cama sedado por el murmullo del televisor, hacían que las tardes se extendieran como un desierto sin cactus, ni dunas, ni datileras: un desierto de cemento caliente, imperturbable cuando las pisadas de miles de hormigas uniformadas lo recorrían de oriente a poniente. Salir marchando a paso redoblado por el culo de rata; atravesar el mercado Cartagena aspirando su olor a ciruela avejentada, a sangre mezclada con agua, para enseguida sumergirme en la estación del metro Tacubaya; soportar las miradas a las que se hace acreedor cualquier uniformado; reconocer la silueta de mi casa flotando en la balbuceante oscuridad del atardecer: cada una de estas impresiones constituía el paisaje de mi liberación cotidiana.

El cadete Garcini fue nombrado nuestro jefe a raíz de su experiencia en cuestiones militares. El teniente Oropeza lo señaló con su mano albina.

–¡Tú, Garcini! Hazte cargo de estos desgraciados. Igual que el año pasado.

–Teniente, preferiría que fuera otro. Yo no soy niñera –se quejó Garcini, el alumno de mayor edad en nuestra clase. Catorce años.

–Te jodiste, Garcini. Son todos tuyos.

A ojos de los cadetes, Garcini se revestía de una apariencia respetable, pese a que nadie sabría describir en qué consistía su respetabilidad; acaso ciertos gestos de hombre maduro, sus carrillos desencajados o su rostro de heroinómano arrepentido. Era un joven apuesto, de mirada certera que cursaba por segunda vez el primero de secundaria. Cada vez que nos daba una orden o una instrucción parecía estar a punto de bostezar. Como si una desgracia o un malentendido hubiera llevado a un chimpancé adulto a vivir en esa jaula saturada de pequeños monos araña. En cambio, su ayudante, la Rata, carecía de estilo, clase, aspecto humano: un mulato de diminutas crenchas tiesas y mirada torva que resolvía cualquier dilema golpeándonos los glúteos con una baqueta y gritándonos majaderías a viva voz. A veces, sin que mediara un motivo evidente, nos asestaba un puñetazo en el omoplato; lo hacía para demostrarnos su poder o porque tenía miedo de que olvidáramos su cargo, nada menos que subjefe de grupo.

No era necesario esperar el agobiante paso de los días para sospechar que tardaría mucho tiempo en acostumbrarme a la rutina militar. El poder del contrincante se develaría todo en el primer round, sin eufemismos, ni triquiñuelas, los golpes a la región hepática harían estragos y la sangre comenzaría a escurrir. Los cambios de clase se anunciaban desde el patio por medio de un toque de corneta; lo mismo que las llamadas a descanso o el cambio de actividades: casi todos nuestros movimientos estaban precedidos de un tipludo e intenso viento de corneta. Las nutridas filas para comprar golosinas en la tienda de la escuela consumían los veinte minutos que duraba el descanso de media mañana. ¡Sólo veinte minutos! La tienda era atendida por dos hermanos que también se encargaban de administrar un almacén de uniformes dentro de la misma escuela: negocio completo, comida, ropa, calzado. A uno de los dependientes, el más viejo y canoso, se le conocía como el Chato; y el otro simplemente era el hermano del Chato. No había más misterio. ¿Qué han hecho estos hombres para hacerse un lugar en mi memoria y permanecer allí para siempre? Si no eran más que vendedores, mudos además, ¿o tenían voz? No recuerdo haber conversado con ellos. ¿Conocían mi nombre? Es posible que no hayan existido y que sean consecuencia de una enfermedad, como las manchas que aparecen en la retina de los viejos o las pecas sobre la espalda.

Los oficiales gritaban para hacerse entender, sin importar si estaban a sólo dos metros de ti. No concebían que pudieras comprender nada si antes no te reventaban los tímpanos. Si hubieran podido me habrían metido la lengua en la oreja. Y nadie gritaba tan alto como el teniente Oropeza, a quien –aseguraban los cadetes de preparatoria– le habían cosido el ano con hilo de cáñamo para que vociferara más fuerte. No podría asegurar si detestaba a mi padre por haberme arrojado a esa mazmorra de perros rabiosos, pero cultivaba hacia él un velado resentimiento: ¿acaso el resentimiento encontraría sus propias palabras muchos años más tarde? No tengo la menor idea. No sé cómo trabaja el cerebro ni cuáles líquidos dejan de caer o qué conexiones se interrumpen cuando las emociones afloran. Y no quiero saberlo. Sin embargo, sólo era cuestión de realizar sumas elementales para concluir que no había hecho nada tan malo como para merecer que se me tratara a gritos, o se me pateara para obligarme a marchar correctamente. ¿Qué intenta exactamente comunicar uno cuando da un puntapié? ¿De qué lenguaje me había yo perdido? Si recluirme en colegio semejante no representaba un castigo, ¿cuáles eran entonces las razones de mi estancia en aquel edificio? Me estaba castigando, mi padre, por un hecho del que yo todavía no tomaba conciencia. Hipótesis que parecía venirse abajo porque, haciendo el recuento de mis pecados, no existía justificación alguna para endilgarme penitencias de tal naturaleza. Ahora debería permanecer encerrado en una escuela de sardos –como se les llamaba entonces, despectivamente, a los soldados–, temeroso de incumplir reglamentos estúpidos, asolado por los eructos del oficial Oropeza y los golpes a mansalva de la Rata.

No recuerdo haber causado problemas graves, como incendiar nuestra casa o renunciar a mis estudios. Tampoco me encontraron en la cama con los calzones de mi hermana en la mano, ni robé los escasos billetes que mi padre guardaba en su cartera. Y mis verdaderos pecados no le incumbían a nadie porque eran tan secretos como el color de mi médula. Esos pecados no me impedían auxiliar a mi madre en las actividades cotidianas o cuidar de mis hermanos cuando los adultos llegaban a ausentarse. Era un párvulo sin virtudes evidentes, uno más bien silencioso que no acertaba a reclamar lo suficiente cuando era testigo de una injusticia. Rehuía las discusiones y prefería refugiarme a la sombra del tiempo en espera de que los días remediaran cualquier enfermedad o dilema ordinario. Mi padre sabía meter los puños y gritar para imponerse, pero su hijo tenía miedo de los otros, miedo y también un poco de desprecio. Ni siquiera tuve el talento y la dureza necesaria para narrar a mi madre lo que en realidad sucedió el primer día que puse los pies en la escuela militarizada. Le habría impresionado saber que para comer debía esperar en el patio durante media hora, sin sombra para protegerme de un sol que a las dos de la tarde hacía arder el cemento como un comal, media hora antes de la llamada a rancho que, para variar, se hacía también con un toque de corneta. ¡Otro jodido toque de corneta! Los últimos en integrarse a la hilera debían conformarse con raciones más pequeñas, las cuales, en ocasiones, incluían solamente un plato de lentejas sin caldo. Qué patéticas se ven las lentejas sin caldo, acumuladas unas sobre otras. Los alumnos de nuevo ingreso asumían la obligación de donar parte de sus raciones a los cadetes más viejos o a los jefes de mesa sentados, como patriarcas, en la cabecera. ¿Por qué carajos había jefes en todos lados? Jefes en las mesas, en los salones, en el patio, jefes que proliferaban como ladillas y que te ordenaban lo que de todas maneras tenías que hacer. Bueno, el único sitio donde uno no encontraba jefes era en el baño porque no había pulmones tan poderosos como para soportar el olor de las miasmas: el único sitio en el que la autoridad no ponía los pies era nada menos que en las letrinas. ¿Quién sabe dónde orinaban los jefes? Fuera de ese sagrado espacio siempre encontrabas unos ojos que te auscultaban con desaprobación o una lengua que se bañaba en bilis para increparte por tus acciones.

El comedor consistía en un espacioso salón

donde podían sentarse a comer cerca de doscientos cadetes repartidos en poco menos de veinte mesas. De sus paredes no colgaba ninguna pintura (en el comedor de la casa, en cambio, junto a la pintura del pueblo toledano había un paisaje pintado por mi padre y copiado íntegramente de una obra de José María Velasco). Una vez dentro, tenías que aguardar en posición de firmes hasta que un oficial ordenaba sentarse. Casi no había oficiales porque la mayoría prefería tomar sus alimentos fuera de la escuela: no eran tan estúpidos. Tampoco podías comenzar a comer hasta que el teniente Oropeza, luego de caminar desafiante entre los cadetes y cerciorarse de que las cosas marchaban bien, daba la orden de empezar a comer.

–¡Comenzar a comer! ¡Ya! –decía la voz, y los cubiertos iniciaban su sinfonía metálica.

Ese primer día me fue imposible pasar un bocado por la garganta. La causa de mi inapetencia se debió a que el jefe de mesa escupió en mi sopa. Escupió solamente en los platos de los alumnos de nuevo ingreso, que en aquella mesa sumábamos cinco. Supongo que se trataba de una costumbre o un gesto de bienvenida que debíamos aceptar con estoicismo. ¿O acaso debíamos también agradecer que se pusiera tanta atención en nosotros? Uno de mis compañeros, apellidado Palavicini, tomó el escupitajo con la cuchara para lanzarlo al piso. Después de eso comenzó a comer con una displicencia que envidiamos los cuatro alumnos restantes, quienes asqueados no acertábamos siquiera a mirar el contenido de nuestros platos. El jefe de mesa reprendió a Palavicini por tirar comida en el piso y le ordenó ponerse en posición de firmes junto a su silla mientras concluía la comida.

–¡La comida no se tira, cadete! Esta mesa es cristiana –dijo el jefe de mesa.

El rebelde obedeció sin chistar, como si se hubiera preparado durante mucho tiempo para soportar las órdenes de todos los superiores que poblaban el mundo. ¿Quién había enseñado a Palavicini a mirar a sus superiores como si fueran piedras? El miedo, sólo el miedo nos hace dejar de temblar. Nadie tenía tanto miedo como Palavicini. Mis compañeros de mesa no despreciaron su arroz con ejotes, ni tampoco el guisado de res con frijoles que siguió a la sopa. Yo, en cambio, renuncié a comer esa tarde. Mis padres me enseñaron que la sopa es el único alimento realmente importante que existe. La sopa es como nuestra casa o como nuestras abuelas, la sopa es en realidad nuestro hogar. Mi madre hacía migas cuando no teníamos nada que comer: agua con pan, sal, chile, ajo, hasta una cucaracha o un pedazo de madera habría arrojado a la sopa si hubiera sido necesario. Sobrevivimos a nuestras peores épocas porque comíamos sopa. ¿Entonces por qué este desgraciado hijo de puta se atrevía a escupir en la sopa de cinco familias distintas? Con el pasar de los días me enteraría que se trataba del cadete Colín, alumno de tercero de secundaria, consentido de los oficiales por su aspecto canalla y sus feroces modales. Hasta los internos condescendían con el cadete Colín, cuando regularmente no toleraban a nadie que no fuera un interno como ellos. Ser interno te investía de una autoridad a prueba de balas: ellos eran los verdaderos habitantes de la penitenciaría, los prisioneros que recibían cualquier orden con una sonrisa sarcástica, a no ser que ésta proviniera de Camacho, el oficial jefe de internos, o del comandante Sigifredo, que gobernaba con una energía macabra toda la escuela.

Esa misma tarde, antes de entrar a los talleres vespertinos busqué una sombra donde rumiar mi coraje. Una banca adosada a un muro del armero habría de ser desde entonces mi refugio preferido. Allí me aislaba del resto de los alumnos que se dispersaban en los solares de la escuela o se concentraban en las espaciosas escalinatas alrededor del asta bandera. Ignorando mi empecinado deseo de soledad, tres cadetes se aproximaron a mí para comunicarme, por medio de un lenguaje rudimentario, que desde aquel momento debía considerarme su perro. No había escuchado mal: a partir de entonces, si quería evitar una paliza, tendría que convertirme en un perro. Los perros teníamos como función servir a un cadete de preparatoria durante las horas de descanso. Como recompensa, mientras el amo nos cubriera con su manto protector, nadie más podía abusar de nosotros. ¿He dicho algo nuevo? Nada que desconozca cualquier delincuente de barrio o cualquier policía de baja estofa. Recordé las palabras de mi abuela: «Los militares son todos unos criados.» No serviría a los tres cadetes, sino sólo al cabo Plateros, quien, en señal de bienvenida, me dio una monumental palmada en la nuca.

–¿Entendiste, perro? Aquí vas a aprender a ladrar.

–Sí, seré el criado de un criado –dije entre dientes, pero Plateros no me escuchó porque en medio de risas intentaba excusarse con sus compinches:

–Me tocó un perro medio gacho, pero si lo educo puede servir. Luego los perros corrientes son los más fieles –reía Plateros, y su risa hacía que la Luna, el Sol y todos los astros olieran a podrido.

–A ver, cadete, ¿tienes pedigrí o eres un jodido perro callejero?

–Callejero –respondí.

–¿No les digo? Siempre me tocan perros pobres. En vez de carne molida voy a alimentarte con esto –dijo el cabo Plateros tocándose la entrepierna. Sus amigos reían, como hienas danzando en torno a la carroña.

El tiempo me diría que el cabo y sus amigos eran sólo un hato de pusilánimes. Si se les miraba a distancia no resultaban tan distintos de mis compañeros de primaria que, como buenos hijos de gamberros, aprovechaban la más mínima ventaja para pasarte por encima. Los niños conocen tan bien o mejor que sus padres el negocio de humillar a los otros: la inocencia infantil es un cuento de hadas que los adultos se cuentan a sí mismos para tranquilizarse, un eufemismo. Y es que la imagen de amamantar a las pequeñas bestias depredadoras y malvadas no debe de ser una actividad placentera. Es más conveniente para el mundo pensar que los niños son inocentes y distintos de los adultos.

La vestimenta militar volvía los actos violentos más crueles: como si los gárrulos tuvieran permiso de hacerme mal, como si mi propio padre al inscribirme en esa escuela les hubiera permitido pisotearme. Aquí está mi hijo para que hasta el más miserable pueda orinar encima de él. Aun así el cuerpo de lavativa de Plateros no inspiraba pavor a nadie. Sus amigos tampoco lucían nada imponentes, y si me amedrentaban era sólo porque representaban el papel de sicarios, de asesinos timoratos, cómplices incondicionales de Plateros. Nunca un jefe será tan temible como los zalameros que lo rodean. A una orden del cuerpo de lavativa me tundirían a golpes sin tomar en consideración que no me conocían ni sabían nada acerca de mí. Me patearían pese a que mis conocimientos de literatura o geografía sobrepasaran por mucho los suyos y mis raíces cuadradas fueran perfectas. Días adelante me enteraría de que el poder de Plateros se concentraba en los galones atados a las mangas de su camisola, dos cintas doradas con ribetes color vino que resaltaban en la anémica tela del uniforme caqui: un cabo ni más ni menos. Si un ser de ínfima naturaleza como Plateros había sido capaz de obtener una distinción semejante, no había esperanza alguna de encontrar en esa escuela un poco de dignidad. Así que sin dar más rodeos al asunto concluí que era conveniente considerarme un perro callejero, uno incapaz de financiar las golosinas de su amo o de provocar envidia entre los cadetes: a un perro callejero se le pateaba el culo en los momentos de mal humor, o se le confiscaban los emparedados que la madre del perro preparaba en las mañanas para su hijo, ¿qué otra cosa podía hacerse? En cambio, al perro con prosapia se le exprimían los bolsillos, se le dejaba seco como cadáver, se le presumía en las pasarelas ante el azoro y la envidia de los otros alumnos. La riqueza, concluí, era una enorme bosta que atraía las patas de moscas, cerdos y ratas, un festín del que no deseaba ser anfitrión ni invitado. Después de todo, si se tiene suerte, se puede aprender alguna cosa en la escuela.

Que en aquella ocasión evitara narrar a mi familia lo ocurrido en las mazmorras escolares sentaría un precedente en mi vida. No compartiría mi desazón con nadie. Cumpliría mi condena como un reo, cobarde pero resignado. Con más razón cuando mi padre comenzaba a ganar un poco más de dinero e invitaba a su esposa a salir por las noches una vez a la semana. Si me hubieran propuesto pasar los días en una crujía pestilente a cambio de que mi madre saliera en las noches a divertirse, no habría dudado en aceptar el trueque. Qué valían un par de manotazos en la nuca o un baquetazo en las nalgas junto a la posibilidad de que ella se olvidara por un rato de los trastes sucios, las espinacas cocidas o las camisas manchadas. Por primera vez estaba yo en condiciones de ofrecerle un bien. Y lo haría.

Los hijos nos enterábamos de las francachelas nocturnas cuando descubríamos en las mañanas, enmarcadas en cartón, las fotografías de nuestros padres presidiendo una mesa donde jamás faltaba una botella de licor rodeada de vasos: brandy Presidente en los malos tiempos, whisky cuando la cartera estaba colmada. Mi madre era hermosa y sus vestidos siempre estaban por debajo de su belleza. Mi padre era feo, pero trataba de vestirse lo mejor posible, así que los sacos y las corbatas lo hacían verse más amigable. Al pie de las fotografías venía impreso el nombre del cabaret en el que éstas habían sido tomadas: El Capri, La Fuente o Prado Floresta eran los títulos más socorridos, aunque el centro nocturno que recuerdo con menos esfuerzo es uno donde las paredes simulaban la forma sinuosa de una caverna y los meseros aparecían sonrientes, disfrazados de calaveras: las Catacumbas, en la calle Dolores, cerca de la Alameda Central. Cuando mi hermano preguntaba qué significaban esas calaveras sonrientes sosteniendo una charola en las manos, mi madre respondía:

–No son reales, son meseros disfrazados.

–¿Pero por qué se disfrazan de muertos? ¿Qué, no van a divertirse?

–Sí, hijo, pero si bebes un poco de brandy hasta esas tonterías te parecen divertidas.

Por otra parte, la casa en Cuemanco estaba a punto de ser concluida y mi padre trabajaba a marchas forzadas para cubrir los gastos que suponía una casa con jardín, tres recámaras alfombradas, una estancia y un cuarto de servicio con baño. Nunca antes habíamos habitado una casa con jardín ni una con más de dos recámaras. Si mi padre podía progresar a un ritmo tan acelerado seguramente sus razones para recluirme en una escuela militar tendrían que ser indiscutibles. No tenía nada que reprocharle a un hombre que después de haber conducido un trolebús durante varios años y mudado de trabajo varias veces hasta llegar a ser administrador de una modesta empresa, se compraba una casa con jardín en el sur de la ciudad. No encuentro aún la explicación, pero ya desde entonces sospechaba que existía una oscura relación entre mi nueva vida militarizada y la casa de Cuemanco: con tal de poseer un jardín un padre podía ser capaz de enterrar allí mismo a sus críos. Un pequeño jardín como tumba anticipada, como el diminuto, frugal paraíso del obrero que siempre ha vivido dentro de un cubo de basura.

Bienvenidos a la clase media, a sus refrigeradores Kelvinator, lavadoras automáticas Hoover, aspiradoras Koblenz, licuadoras Osterizer y a sus modestos jardines. Si mi palabra tuviera algún valor yo habría elegido vivir sin jardines ni aspiradoras, pero jamás abandonar mi deambular por los alrededores del parque Centenario, ni las madrugadas jugando futbol mientras aguardaba mi turno para comprar la leche en los depósitos de la Conasupo. Un complicado vaso comunicante, un laberinto maligno unía el progreso de mi padre con mi destino.

–¿Cómo te trataron en tu nueva escuela, hijo? –me preguntó él, apenas cruzó la puerta del comedor donde yo terminaba los restos de mi cena. El fuerte aroma de su loción, English Leather, había desaparecido casi por completo después de un día de labores.

–Bien, pero no es como me habías dicho –respondí, parco; sólo deseaba hacer énfasis en que me había mentido.

–Ya te acostumbrarás; ojalá que todo fuera como acostumbrarse –dijo con su particular rudeza. En cambio, mi abuela encontró la oportunidad de intervenir e hizo notar que yo había cenado más de la cuenta.

–Ha cenado como pelón de hospicio. Me da la impresión de que no ha comido nada. –No era una metáfora, en verdad me había transformado en un pelón de hospicio.

–Ya está en edad de tomar decisiones. En su escuela hay un comedor, si no comió es porque no quiso.

–Quién sabe qué clase de cochinadas le ofrecieron –dijo la abuela. ¿Cómo podía verse tan juvenil? Llevaba las uñas pintadas de azul cielo, tenis, pantalones ajustados. Cuando salía a la calle se ponía unos estilizados lentes oscuros con armazón color de rosa que había comprado en San Francisco. Tenía un neceser en forma de corazón y una estola de plumas que se enrollaba en el cuello en las ocasiones especiales.

–La vida no es sencilla –continuó mi padre, sentencioso, quería cambiar de tema, quería cenar sin la sensación de haberse equivocado.

–En eso tienes razón, hijo, la vida no es sencilla, entonces ¿para qué añadirle complicaciones?

Los siguientes días escolares resultaron ser todavía más inclementes que el primero: bazofia pura. El aire podía cortarse en rebanadas, y el polvo que se acumulaba en el patio tenía un olor a sudor rancio, a muerte próxima que se impregnaba en el uniforme como una mancha de tinta: un olor mestizo, de sangre oscurecida por el sol. Mi padre abandonaba temprano la cama para dejarme a las siete de la mañana a los pies del culo de rata pero, a diferencia del primer día, se marchaba rápidamente sin cerciorarse de que la policía militar le permitiera el paso a su primogénito. Tuve la sensación de que huía, como el que deja a un recién nacido a las puertas de una casa extraña y quiere olvidar para siempre su acto rastrero. Una impresión egoísta: después de todo, el problema era mío. Cada quien en la familia tenía un problema que resolver por su propia cuenta. Hasta mi hermana, Norma, la más pequeña, debía de tener un problema inconfesable. El dilema real, el único aceptable, consistía en sobrevivir para llegar a tiempo a la cena, tomar un vaso de leche tibia, ver un programa de televisión, irse a la cama y esperar a que la tranquilidad nocturna disipara con su silencio las penas acumuladas en la joroba del día. Sobrevivir para que la suma coincidiera una vez más en las noches, seis personas: padre, madre, tres hijos, una abuela. Aguardar la llegada de la noche, remedio de las familias humildes para mitigar sus congojas y atenuar la sospecha de que, bajo ninguna circunstancia, dejarían de ser unos mal nacidos.

Si todo fuera mantener su aspecto juvenil, pero la abuela sufría, se consternaba al ver que sus numerosas amistades se lanzaban con infame celeridad a la tumba: un cáncer, un infarto o una caída en los escalones mermaban sin piedad su antes nutrida agenda. Al contrario de su nieto, parco en las relaciones, adusto, poco pandillero, ella no encontraba inconveniente en organizar mensualmente copiosas reuniones a las que asistían decenas de ancianas que, en suma, acumulaban en sus cuerpos casi todas las enfermedades del mundo: embolias parciales, várices, riñones destruidos, pulmones negros, órganos agónicos sentados sin ninguna vergüenza en la sala de estar. La vieja se estaba quedando sola. De sus amigas recuerdo a una en especial, Concepción Jiménez, sexagenaria, que bebía cantidades considerables de alcohol sin perder el estilo ni la estabilidad. Rechazaba los vasos para beber de la botella. El secreto de su fortaleza, decía ella, solemne como un enterrador, estaba en su marcapasos. Los médicos le habían injertado un marcapasos de cinco años de duración porque dudaban que la anciana soportara enferma más allá de ese tiempo. Sus hijos estuvieron de acuerdo. No había razón para gastar más dinero en una anciana alcohólica. «Los médicos y los hijos, que Dios nos aleje de ellos antes de que nos entierren vivos», fueron las palabras de Concepción. Sin embargo, contra las predicciones de la ciencia, el marcapasos de esta mujer, cuya vida se extendió más de noventa años, tuvo que ser removido varias veces. A las reuniones en casa de la abuela llevaba consigo los marcapasos extirpados y los colocaba en la mesa a la menor oportunidad: «¿Alguien quiere apostar a que voy a la tumba este año?», retaba la vieja Concepción. No había respuesta: nadie deseaba perder su dinero.

Me duele decirlo, pero la única mujer que se paseaba libremente en la escuela tenía cincuenta años y le faltaba una pierna. La primera vez que la vi pasó junto a mí arrastrando un cazo enorme rumbo a la estrecha puerta de la cocina. La cocina estaba a un lado del comedor, pero nadie, a excepción de los meseros y la cocinera, podía traspasar sus límites. Fue un jueves, minutos después del rancho cuando los estudiantes, tirados como bestias en los rincones sombreados del patio, reposaban sus alimentos y el crujir de sus tripas podía escucharse hasta la avenida Jalisco. Se llamaba Angelina, una mujer robusta de cabello rizado que al andar golpeaba el piso con su enorme tobillo de madera. Era sencillo imaginar sus brazos como dos salchichones atestados de diminutas pecas moradas. No parecía ser una mujer triste o agobiada; al contrario, se veía hasta cierto punto jovial, como lo demostraba la sencilla sonrisa que conservaba pese a los esfuerzos que hacía para arrastrar el cazo de manteca a su destino. No le sonreía a nadie, sino que asomaba parcialmente sus dientes como un jabalí. Era la cocinera, la única mujer que podía surcar el patio de la escuela o asomarse por la ventanilla de la cocina y respirar un olor distinto del expelido por las ollas de sopa o los entomatados. No había maestras ni afanadoras, ni tampoco secretarias para los directivos: sólo una cocinera con pata de palo y una que otra puta que los internos metían al edificio la madrugada del sábado. Las niñas de sexto año de primaria, mis compañeras, la hermosa Carmela, que a sus diez años puso de moda la minifalda plisada en la escuela: la rubia Roxana; la menuda Leticia, de quien estuve enamorado durante casi trescientos días, se habían perdido para siempre y ahora tenía que conformarme con ver pasar a la cocinera arrastrando un cazo de manteca. Como si fuera poco, también había dejado de frecuentar a Ana Bertha, la vecina que dejó de frecuentarme cuando descubrió mi nuevo corte de pelo, mi desagradable cabeza rapada: una adolescente de trece años que me mostraba sus calzones en el callejón de La Luz aprovechando que las sombras vespertinas nos protegían de las miradas casuales o clandestinas. Ana Bertha me enseñaba sus calzones a cambio de que yo le mostrara el bulto que escondía mi bragueta. Ella lo miraba con ánimo científico como si fuera la glándula de un cordero e incluso lo tocaba con la yema de sus dedos fríos. Me estremezco tan sólo de recordar la frialdad de aquellos dedos curiosos y frágiles. Todos mis placeres se habían ido por el caño. Ahora, si deseaba ver a una mujer, debía conformarme con las fugaces apariciones de la cocinera pata de palo. Y cuando masticaba me imaginaba tener en mi boca sus brazos regordetes que en trozos nos servían en el plato para acompañar las lentejas: pedazos rosados de carne que ella freía con su propia manteca; tocinos que no ocultaban sus pecas; manjares sazonados con los amargos escupitajos del cadete Colín.

Los rumores de que la sopa se condimentaba con atenuantes de la excitación sexual parecían una tontería, ya que bastaba un poco de manteca extraída de las pulposas lonjas de la cocinera Angelina para que los cadetes olvidaran a las mujeres de por vida. El apetito sexual estaba más que controlado. Prueba de ellos es este diálogo.

–En la sopa. El inhibidor está en la sopa –escuché decir a un amigo de Plateros.

–No es en la sopa, lo añaden a los frijoles para que ni siquiera lo notemos –observó otro. Como si todos ellos fueran unos sementales.

–No se necesitan inhibidores, con la comida que nos dan es suficiente para que no se te pare jamás.

El viernes se cumplió una semana de mi ingreso a la academia. Mis labores como perro fueron sencillas de cumplir porque mi amo, el cuerpo de lavativa, carecía de imaginación e inteligencia. Cada vez que intentaba pensar, su cerebro se comprimía como un malvavisco tocado por el fuego. Además, debido a su pobreza, las encomiendas eran escasas, excepto el lunes, cuando Plateros tenía suficientes monedas para enviarme a la tienda hasta en tres ocasiones. Siempre exigía las mismas golosinas, como si en su memoria existieran sólo frituras con chile, una galleta Mamut de chocolate y un refresco de naranja en envase de cartón. Ese viernes nadie escupió en mi sopa de fideo ni me obligó a cederle mi refresco, un Pato Pascual de limón. Las bestias, ensimismadas en sus alimentos, me permitieron masticar con tranquilidad mis bocados y beber sin la angustia de los primeros cuatro días. Tanto que comencé a encontrar cierto placer en comer lentejas y papas con atún, sin salsa ni condimentos sofisticados, acaso con unas tiras de cebolla que se enrollaban a las papas como víboras de árbol. ¡Cómo se impregnaba el uniforme de olor a cebolla frita!

El uniforme no recibía de mi parte un cuidado esmerado, pero los botones lucían lo suficiente como para pasar inadvertido entre los quisquillosos celadores. El brillo los hipnotizaba, los mantenía paralizados durante los segundos que duraba la revisión. Por la noche esparcía polvo bocaral dentro de mis botas y limpiaba con un líquido especial, Brasso se llamaba, el chapetón de la fajilla y mis escudos, en tanto mi madre, más disciplinada que yo, colocaba en una silla el cinturón negro de su marido, sus mancuernillas romboides, su cartera de piel, sus corbatas estridentes, sus zapatos lustrosos como una bola de billar. Cada uno tenía que abandonar la casa para enfrentarse a sus jefes, aunque dudo mucho que a mi padre le palmearan la nuca, lo llamaran perro o lo hicieran lamer el pizarrón. Por mucho que se esforzara en complacer a los patrones, no creo que llegara al extremo de lavar un excusado. Era un ser vanidoso y sabía que un hombre zalamero no tiene demasiados caminos que recorrer. El zalamero causa resquemores y desconfianza hasta en quienes reciben sus atenciones: es un traidor en potencia. Los zalameros halagan a sus jefes, pero si pudieran los desollarían con la misma solicitud; y esto lo saben los jefes que tienen siempre la cuchilla afilada, dispuesta para cortar la nuca de quienes lamen sus zapatos. ¿Acaso no es una sociedad hermosa la nuestra? No quiero decir que mi padre se mostrara rebelde con los poderosos, no, cuando se hallaba cerca de una persona poderosa intentaba ser más simpático que de costumbre, sonreía apenas el poderoso hacía una broma, sin importar lo estúpida que fuera. No, mi padre no le lamía los zapatos a nadie, pero podría jurar que aceptaría que lengüetearan los suyos. Un poco de saliva humana en sus zapatos le haría olvidar más fácilmente su pasado como conductor de trolebuses.

Aquel mismo viernes, casi a punto de salir a la calle, me enteré de una mala noticia, una infamia que me hizo verter lágrimas de coraje: el teniente Oropeza nos comunicó, vía un altavoz, que a partir de entonces debíamos presentarnos todos los sábados para llevar a cabo prácticas militares. En vista de que los domingos se reservaban invariablemente para la familia, el sábado era mi única oportunidad para encontrarme con los amigos del barrio, buscar a Ana Bertha o merodear por la escuela primaria en busca de los antiguos compañeros de clases. Ahora me vería obligado a consumir los días en prácticas militares, en penosas marchas alrededor del patio, en aprender a usar un mosquetón viejo que provocaba más risa que miedo, en limpiar con piola y aceite las entrañas de las carabinas y en memorizar las distintas formaciones de un pelotón integrado por once imbéciles sin decisión propia. Minutos después de escuchar a Oropeza dictar la sentencia me aproximé a Garcini, mi jefe de grupo, para preguntarle, rebosante de absurda ingenuidad, si era obligatorio asistir a las prácticas militares. Fue la primera vez que me dirigí a Garcini pese a estar obedeciendo constantemente sus órdenes: una tontería, consecuencia de mi súbita desesperación, patadas de ahogado. La cuartelera que usaba en los momentos de descanso le cubría la cabeza. Estaba solo, medio escondido de la vista oficial, recargado en un árbol fumando uno de sus cigarros Alas.

–Aquí todo es obligatorio, cadete. Todo lo que salga de la boca o del culo de Oropeza es obligatorio.

–¿Y, en caso de no asistir mañana, habría algún tipo de castigo? –La ingenuidad de esta pregunta era imperdonable.

Garcini me miró con curiosidad. Sus ojos verdes, maliciosos, me escudriñaron dudosos de estarse posando en un ser humano. Esbozó una sonrisa a medias antes de responderme:

–Además de patearte los huevos te reprobarán en educación física. No hay salida.

–¿Y a mí para qué me sirve la práctica militar? –dije en voz apenas audible, pero Garcini tenía un oído fino.

–Para nada, ¿para qué va a servir?, para que los jotos se hagan los valientes. Si vas a ausentarte tienes que hablar con Oropeza o con Sigifredo; al primero, si tienes suerte, lo puedes sobornar regalándole una botella de buen ron, un Habana doce años, para que te perdone la falta; al segundo te recomiendo no te le acerques a menos de un metro porque te va a soltar un puñetazo en el estómago.

Sigifredo Córdova, comandante en jefe de la escuela, un hombre moreno de bigote poblado que pocas veces vestía de militar. Prefería los trajes grises o verdosos cortados a la medida. Fornido, pero de baja estatura: su mirada de cernícalo llenaba de temor a todos los seres vivos que habitaban la escuela, desde las ratas que husmeaban en la cocina hasta los primeros oficiales, que palidecían apenas los ojos del comandante reparaban en ellos. No estaba loco para acercarme a él. Los sábados se hallaban definitivamente perdidos. ¿Reclamar a mi padre?, ¿comenzar una rebelión que me tomaría meses sanar?, ¿comprar una botella de Habana cada semana?, recurso este último imposible ya que mis ahorros de un mes podrían apenas comprar una botella. La única rebelión posible sería huir de la escuela ese mismo día, marcharme a otra ciudad o vivir en la calle, pero por desgracia carecía de agallas para eso: era un cobarde que se arredraba en los momentos críticos. Afrontar los castigos impuestos por los superiores no era un camino pertinente. Cinco días habían bastado para convencerme de que pasar inadvertido era la única acción cuerda a la que un estudiante tenía derecho: hacerse un mediocre, buscar un rincón para permanecer inmóvil, llevar la cabeza gacha. Apenas el miércoles había tenido lugar un episodio incómodo, al menos para mí, que no me acostumbraba al olor a miasmas de la jauría. Al cadete Palavicini le pareció sencillo abandonar el salón de clases para entrar al baño sin solicitar permiso a los jefes de grupo. Garcini no estaba en el aula en ese momento, pero, aunque no fuera un cargo demasiado manifiesto, el subjefe se encontraba sentado cerca del escritorio destinado al profesor. Cuando Palavicini volvió se encontró con la novedad de que en el pizarrón había sido pintado con tiza blanca un enorme falo.

–Nadie puede salir del salón sin permiso –dijo el autor del dibujo. Un pésimo artista, la Rata.

–No pude controlarme –respondió Palavicini, joven espigado de piel amarillenta y ojos temerosos.

–Yo creo que fuiste al baño a ver vergas –dijo con voz salivosa la Rata, el segundo jefe de grupo.

–Estaba a punto de orinarme en los pantalones. Perdóname –acusó Palavicini, torpe. A un ser como la Rata jamás había que pedirle perdón. Eso hasta yo lo sabía.

–Yo creo que fuiste al baño no sólo a ver, sino a probar vergas.

La Rata ordenó a Palavicini lamer la imagen dibujada en el pizarrón. Las exclamaciones hipócritas, los gritos de euforia de nuestros compañeros envolvieron el azorado rostro de Palavicini. O lamía el pizarrón o sería expuesto a castigos físicos más dolorosos. Los castigos físicos podían resumirse en golpes propinados con toda clase de objetos: bayonetas, vainas, baquetas, fajillas, espadas, marrazos, reglas, puños, pies, rodillas. No se requería demasiada imaginación para castigar cuando se contaba con tan buenas armas a la mano. A los cadetes indisciplinados se les sometía sin escuchar razones ni súplicas y se les ponía contra la pared para que experimentaran en su rostro la muda frialdad de los muros. Nadie podía escapar a esas paredes heladas, ni siquiera los descontrolados intestinos del ingenuo Palavicini.

Resignado, ausentes todos los ánimos rebeldes, concluí que no había manera de evadir con cierta dignidad las prácticas militares, ejercicios inútiles cuyo único objetivo evidente era prepararnos para perder todas las guerras futuras. En lugar de enseñarte a meter los puños y defenderte en las calles, te instruían para, a bayoneta calada, tomar por asalto un bastión. Era una ingrata tontería practicar escaramuzas hiriendo cuerpos imaginarios con la bayoneta acanalada. Los mosquetones o las carabinas apolilladas que tomábamos de los armeros para llevar a cabo las prácticas habían sido utilizados cincuenta años antes en época de la Revolución. Es probable que más de un rifle pudiera aún medio escupir una bala, pero su aspecto resultaba lastimoso y sólo las bayonetas caladas a los mosquetones conservaban intacta su hoja platinada. Para un niño de once años la sola idea de cargar un arma de verdad en sus manos tenía que emocionarlo hasta los gritos, pero yo habría renunciado a todos los fusiles del mundo con tal de recuperar los sábados perdidos. Cuando mi hermano se enteró de que practicaría con fusiles, se entusiasmó tanto que corrió a contárselo al resto de la familia. Por primera vez la figura de hermano mayor tomaba la forma de una nube respetable.

–No deberían darle armas a un niño –opinó mi madre, asustada. Su ingenuidad me partía en dos el alma.

–No están cargadas, Elva, un arma sin balas es como un juguete, imagínate que es una muñeca para que estés tranquila –decía mi padre. ¡Había descubierto la solución perfecta! Imaginarse que las armas eran muñecas. Mi padre tendría que haber dado un discurso en Oriente Medio.

–En mi casa jamás hubo un arma, aquí hasta tu madre tiene pistola.

–Es un recuerdo de mi padre, ni siquiera sabe usarla.

–Qué poco te enteras de lo que sucede en esta casa, Sergio.

–¿Qué quieres decir? ¿Mi madre ha disparado el arma dentro de la casa?

–Todavía no.

Ese primer sábado fui asignado a la quinta compañía, donde se agrupaban los alumnos más altos de secundaria. Fui el cuarto hombre del segundo pelotón de la tercera sección de la quinta compañía. Es decir, la primera tuerca del segundo remache de la tercera viga de la cuarta estructura de un edificio que estaba a punto de caerse. En un principio, y debido a mi altura, me colocaron al frente del pelotón, pero en cuanto el comandante de la compañía se dio cuenta de mi incapacidad para marchar erguido me envió un poco más atrás para evitar así penurias al destacamento. A mí, que había formado parte de la escolta en la escuela primaria, me lanzaban al traspatio hasta que aprendiera a marchar con garbo. Si cuando menos hubiera tenido frente a mí las piernas de Carmela, la abanderada, su cadencioso marchar consumiendo el perímetro del patio, me habría sentido recompensado, pero aquí todo era masculino: niños, botas, cabezas rapadas, niños y más niños que se quejaban porque me era imposible mantener el paso. Si bajaba la vista para concentrarme en las pisadas de quien marchaba adelante de mí se me reprendía por no mantener la cabeza erguida; si, por el contrario, clavaba los ojos en la nuca de mi compañero, perdía la cadencia contagiando con mi torpeza a la sección entera. El jefe de sección se cansó de azotarme porque mis ojos llenos de lágrimas, el dolor en las nalgas, el miedo a volver a perder el ritmo me impedían concentrarme en la marcha. Como si fuera un crío, dejaba de gatear en el piso y aprendía a caminar, a erguirme como homo sapiens.

Cuando a las tres de la tarde se abrieron las puerta del culo de rata para permitirnos salir me había transformado en una persona distinta, no el sufrimiento, pero sí el agobiante desamparo, la indecencia propia de la vida corriente, me hicieron saber que nada de lo ocurrido ese día se comparaba con el hedor que se avecinaba. Ahorcado por el nudo de mi corbata, acalorado, crucé el pasillo central del mercado Cartagena, tan concurrido los sábados como el resto de la semana. Agua sucia de olor picante corría por las canaletas del piso luego de haber bañado las verduras, la carne roja, los pollos inanes. La tarde estaba encima y los puestos de fruta, las cremerías, las fondas de comida humeante vislumbraban por fin el ocaso de una jornada que no había vuelto ricos a los mercaderes pero les había dado lo suficiente para seguir viviendo. Algunos cadetes, los fanfarrones de cepa, clavaban estoperoles en los tacones de sus botas para que sus pisadas no pasaran inadvertidas. Y también herraduras equinas. La soberbia que despertaba en ellos el uniforme era tal que no permitirían a nadie que dejara de mirarlos: extendían sus plumas de pavo real, alzaban la barbilla, dirigían su mirada hacia un horizonte imaginario: plumas que ostentarían unos cuantos años antes de que éstas se volvieran escamas, y después ceniza.

Si caminaban en grupo los cadetes se tornaban todavía más pedantes porque no existía quien les hiciera frente. Los vagos que merodeaban por los alrededores del mercado o la estación del metro Tacubaya preferían meter sus narices en negocios más prometedores.

Qué tanto podía importarme que se mofaran de mí o que a uno más estúpido que yo le despertara admiración mi uniforme, si lo único que ocupaba mi mente era llegar a casa y refugiarme en mi cuarto para rumiar en paz la peor semana de mi existencia. Un zombi, autómata, el fantasma en el que me había convertido volvía a un barrio que ya no le pertenecía. Sin embargo, antes de atravesar la puerta deseada tenía que consumir los cuarenta minutos, a veces más, que tomaba transportarse desde Tacubaya hasta la estación Nativitas, en la calzada de Tlalpan. Dentro de Pino Suárez, estación donde se realizaban los principales transbordes de tren, avanzar no era sencillo. Los vendedores ambulantes ocupaban casi todos los espacios disponibles, extendían su mercancía en el suelo y ellos mismos, sentados en posición flor de loto, administraban su puesto: místicos vendiendo porquerías, chocolates baratos, palanquetas, juguetes de plástico. Los viajeros temían caer a las vías, sobre todo los viejos de cuerpos diminutos y las mujeres arrastradas por niños más fuertes que ellas. A los cadetes se les prohibía ocupar asientos si había mujeres o ancianos de pie en los vagones, e incluso teníamos obligación de ser corteses con los civiles. Los militares deben brindar ayuda a los ciudadanos primero que nadie, nos aleccionaban, como si no supiéramos que las personas tienen miedo de los militares, de su despotismo y escasa imaginación, de su barbarie y ánimo violento. Teníamos que ofrecer nuestra vida para salvar a quienes nos odiaban.

Oropeza, Sigifredo, Mendoza, Camacho y el resto de los oficiales extendían sus empalagosos tentáculos más allá de la escuela, y la policía militar acechaba en las cercanías velando por el prestigio de la institución. Por supuesto no existía tal prestigio, a no ser que volverse inquilino de la nota roja fuera un signo de categoría. Cualquier alumno de La Salle, el Simón Bolívar o el Colegio Williams nos miraba con un desprecio inaudito. Si de competir en prestigio se trataba, nuestros rivales naturales eran, más bien, el Colegio Alarid, una modesta escuela militarizada ubicada en la avenida Revolución, o cualquier humilde escuela de bastoneras. Sólo mi hermano estaba orgulloso de mí porque además de que se me permitía viajar en metro, tenía la posibilidad de disparar un fusil, prueba de que estaba degenerando en adulto. ¿Pero qué hazaña contenía transportarse dentro de un tren que avanzaba en línea recta y se detenía en todas las estaciones? ¿Dónde estaba la complicación? Hasta un perro podría llevar a cabo el recorrido sin cometer equivocaciones. Cuántos perros no hay en la calle que suben puentes, atraviesan túneles, esperan el semáforo para avanzar o recorren las aceras al ritmo de la gente, pero el hecho de que mis hermanos comenzaran a respetarme significaba, sin duda, que las cosas no marchaban por el sendero adecuado. Era como una despedida.

Segunda parte

He salido unos momentos de la capilla donde mis hermanos velan el cuerpo de mi madre. Está amaneciendo, pero la neblina que cubre el camposanto aún no levanta el vuelo. Nadie ha venido al funeral. Los hijos estamos reunidos a su alrededor igual que en los últimos meses. Como en el funeral de mi padre, ninguno de nosotros se ha tomado el trabajo de poner al tanto a sus familiares, como si temiéramos su desaprobación o su enojo. Un cura contratado por la funeraria Jardines del Recuerdo ha entrado a la capilla y se ha sorprendido de encontrar a tan pocas personas. Mis hermanos prefirieron mantener a sus hijos en casa, como si de ese modo pudieran salvarlos de estar vivos. Yo no tengo hijos, pese a que mi madre insistió tanto los últimos años para que le diera nietos. Si los tuviera, estarían todos conmigo en este momento en que el sol comienza a asomarse por las colinas del este, justo donde en una hora veremos descender el ataúd para siempre. El cura no se ha tomado más de cinco minutos para balbucear unas oraciones, pero cuando se va todos descansamos. Norma acomoda unas flores, mientras que mi hermano da unos sorbos a un vaso que contiene café. Hace apenas once meses estábamos en este mismo lugar asistiendo al velorio de mi padre, pero aun así no entendemos bien la naturaleza de estos asuntos. ¿Debimos invitar a nuestros amigos? Sea lo que fuere, mi madre siempre estuvo en pie de guerra y se dio tiempo para reñir con todos. Nadie a su alrededor se hallaba a salvo de su sarcasmo ni de sus sospechas. Le habría causado orgullo saber que a su entierro sólo asistirían sus hijos y que sus esfuerzos por desembarazarse del resto de la gente habían tenido su recompensa. Cuando ingreso de nuevo a la capilla mis hermanos me dicen con su mirada que están listos y sólo aguardan una orden mía para que cuatro empleados trasladen el ataúd a la cripta donde también yacen mi padre y mi abuela. De pronto me he convertido en autoridad porque de todos los que sobrevivimos soy el que más años tiene. Le pido a mi hermana que tome ella todas las decisiones porque no puedo soportar estar un minuto más en la capilla. Camino rumbo a la colina que meses atrás recorrí con los mismos pasos incrédulos. La mañana se ha descarado y las tumbas aprovechan la luz para hacerse tan reales como la muerte. Hacía tanto tiempo que no estaba despierto a esas horas de la mañana, como si durante los veinte años recientes hubiera estado intentando olvidar esas primeras horas del día. Un sepulturero pasa junto a mí empujando una carretilla colmada de tierra encima de la cual descansa un zapapicos. Al verlo me pregunto cómo se puede vivir sin angustias a las siete de la mañana. Las heladas se han marchado casi a comienzos de marzo dejando un extraño malestar en los huesos. Ahora, en abril, se puede pasear a la intemperie apenas con un suéter encima. Las visitas comenzarán a asomarse por el cementerio en dos horas, pero mientras tanto el verde del césped es más intenso, como si fueran los muertos quienes absorbieran la luminosidad solar. A esta hora mi madre acostumbraba tomarse el primer café negro de la mañana, tan negro como un pantano, costumbre que no varió pese a que después de cumplir los sesenta años comenzó a levantarse media hora más tarde. Mi hermana heredó ese hábito de manera natural, como el que se adueña de los gestos de otro sólo con estarlo observando. Cuando hace apenas unos cuantos meses las miraba sentadas a la mesa tomando café sin pronunciar palabra me imaginaba que eran casi la misma persona. Yo, en cambio, jamás me aficioné a beber café en las mañanas. Si lo hubiera hecho quizás me habría curado de ese desgano que solía acompañarme desde los años de secundaria.

No propiamente desgano, más bien ira contenida, resignación que no terminaba de manifestarse. No obstante, después de un mes en la escuela militar las piezas tendían a ocupar su lugar de una manera bíblica. Además de los oficiales o los cadetes con rango, los internos formaban una comunidad poderosa: ellos comprendían la escuela entera como su territorio, el lugar donde descansarían sus primeros huesos; en cambio, el resto de los estudiantes éramos intrusos que ellos toleraban porque no tenían más remedio, ¿o de qué otra manera podrían colmarse las arcas del hotel militar? Los medio internos eramos asolados, diezmados, mordidos por las ratas que dominaban la madriguera: los internos jugaban naipes en el calabozo donde apostaban incluso sus propias carnes (en ocasiones bastaba sólo una tercia de ases para hacerse de un poco de carne joven), comerciaban con las llaves de todas las puertas, vendían mariguana e incluso, según escuché por boca de Plateros, metían mujeres a los dormitorios en las madrugadas del sábado.

–Las meten por la puerta de la cocina –contaba Plateros en un descanso. Yo, a sus espaldas, esperaba órdenes para abastecer su estómago.

–¿Y Camacho? ¿Cómo hacen para que Camacho no se entere? –preguntó alguien.

Camacho, capitán de marina retirado, tenía a su cargo la disciplina del internado. Corpulento como un cebú, mal encarado pero con rostro de niño, se paseaba en el patio a paso lento sin mirar a nadie, como si vernos le recordara su ominoso cargo de celador, de pastor de internos. Después de Sigifredo era el oficial más temido de la escuela y hasta la Chita dejaba de reír cuando veía a Camacho aproximarse. Con los alumnos se comunicaba por medio de órdenes, nunca otro tipo de frases, órdenes que susurraba, a veces sin levantar la vista del suelo. Le hablaba de amor a las hormigas, a las piedras, a la boñiga de perro, pero no a los cadetes. Uno se preguntaba cómo era posible que en todos los rincones del patio se escucharan a la perfección sus palabras. Sus órdenes dormían en nuestros oídos como minas que estallaban cuando percibían la señal de su voz. Jamás se le veía conversar con nadie, pese a que el subteniente Mendoza se decía su amigo. «Mi amigo Camacho», decía el presumido Mendoza para que lo consideráramos un hombre tan duro como Camacho. Nadie le creía.

–No sé cómo lo hacen. Yo he oído que le meten pastillas para dormir en la cena.

–¿Duermen a Camacho? No creo.

–Lo duermen con pastillas, pero como es un toro le ponen en el café dosis enormes. Un día va a amanecer muerto.

–¿Camacho muerto? No creo. Antes se carga a todos los internos.

–Las pastillas las consigue Aboitis en sus farmacias.

–Pinche Aboitis, yo pienso que usa las pastillas para otra cosa.

–Para dormir niños.

A los internos se les respetaba sin importar si eran de nuevo ingreso o carecían de galones. Podían ser unos idiotas, pero su investidura de internos les daba derecho a que su pequeña comunidad los protegiera. Era el líder de todos ellos la Chita, un veracruzano con cara de simio, bemba, ojos pequeños que reía sin parar; se reía de todos nosotros, de los oficiales, de las órdenes que le daban sus superiores, se reía, sobre todo, de haber nacido; sus dientes enormes, poliédricos, destrozarían un neumático si quisieran, y sus crenchas aceitosas sobresalían como espinas óseas arrancadas desde lo más profundo de su cráneo. El miedo que me inspiraba la Chita no se comparaba con el temor que me infundían los pandilleros más fanfarrones de la colonia Portales (el Muñeco, el Canchola, los miembros del Escuadrón de la Muerte), ni con las películas de terror, *El hombre lobo, La mujer vampiro,* que mi padre nos llevaba a ver al cine Álamos los sábados por la tarde. La Chita era aún más feo que el hombre lobo o que las momias de Guanajuato juntas; más violento que diez Cancholas. En la escuela sabíamos que los padres de la Chita eran dueños de bodegas en el mercado de La Merced. Él mismo lo pregonaba cuando quería hacernos entender que pese a su rostro simiesco, a su memez irremediable, tenía más dinero que todos nosotros juntos. Más dinero que el interno Aboitis, cuyos padres eran propietarios de una cadena de farmacias en Tampico. Y se reía la Chita cuando nos decía: «En mis bodegas hay plátanos verdes para todos los culos de esta escuela.»

–¿Quién vencería en una pelea de Camacho contra la Chita? –Una cuestión importante, superior a las hipótesis matemáticas o a las teorías del orígen del universo. Lazarillo de Tormes no despertaba curiosidad, tampoco Edmundo de Amici; los alumnos querían saber quién vencería en una pelea entre Camacho y la Chita.

–Camacho.

–La Chita es un sanguinario. Para mí que se matan al mismo tiempo.

–No pueden matarse al mismo tiempo, no seas pendejo, alguien tiene que morirse primero.

–No creo que lo puedan dormir. Lo que hacen es invitarle una vieja también a Camacho.

–Para que deje de ladrar –dijo Plateros, que en ese momento recordó mi presencia–. Hablando de ladridos, ¿que haces aquí escuchando, pinche perro?

El resto de los cadetes celebró la advertencia. Plateros conocía la causa de mi presencia allí. Él mismo me había sugerido buscarlo recién comenzara el descanso. Descubrí que mi silencio lo incomodaba tanto como mi seriedad: jamás reí de sus bromas ni me mostré afectuoso, ni mucho menos le presté un peso de los que me daba mi padre cada semana para mis gastos diarios. Pensar que una de las monedas ganadas por mi padre fuera a dar a los bolsillos de Plateros hacía que mis tripas crujieran de rabia.

–Tú sabes para qué estoy aquí –dije, serio.

–Lárgate de aquí, me pones nervioso –me despedía Plateros.

Mis labores de sirviente fueron breves porque al cabo de dos meses Plateros se resignó a ser lo que sería por el resto de su vida, un hombre apocado que está para servir, no para dar órdenes. Después de la carrera de perros dejó de buscarme en los descansos y renunció a apropiarse de la ración de pan que me correspondía a la hora de la comida. El pan, así como el postre o los refrescos, se transformaba en oro, patética alquimia, a las tres de la tarde. Había quien vendía su trozo de pan o su barra de chocolate, y entonces el comedor se volvía un activo centro de negocios. De Anda introducía a la escuela pan blanco en su portafolios para venderlo en el comedor. Cuando el subteniente Mendoza se enteró del próspero negocio lo obligó a comerse el pan duro de los días anteriores almacenado en huacales de madera: cajas repletas de pan duro. Estuvo De Anda royendo panes en el comedor durante tres horas hasta que sus encías sangraron y sus ojos comenzaron a perder el brillo de maleante. A diferencia del pan, apreciado por todos los comensales, el arroz era una especie de engrudo sin sabor que resbalaba a tirabuzón por las paredes del esófago. Con las lentejas no había manera porque las servían demasiado espesas o con más agua que en los tinacos. La carne, suponían los cadetes, era de caballo o pertenecía a los perros que en las noches hozaban entre la basura del mercado. Se contaban historias en las que Nicéforo y el Chaparro, los meseros, peregrinaban durante las noches llevando una bolsa de carnada y volvían con una manada de perros siguiendo su rastro. Una vez reunidos los perros en el pequeño patio junto a la dirección, Nicéforo los degollaba con una faca de matarife. Un rumor decía que los internos aprobaban esta historia porque habían observado desde la ventana de sus dormitorios a los meseros arrastrando los cadáveres de los perros.

–Los he visto no una, ¡varias veces! Nicéforo los arrastra y el Chaparro limpia los rastros –contaba la Tintorera.

–No seas pinche mentiroso, Tintorera; ¿cómo van a matarlos en pleno patio?

Desconfié de la historia después de que una tarde ocultara un pedazo de carne en el bolsillo de mi pantalón para, una vez en mi casa, pedir el dictamen de mi abuela. Cuando mi abuela tuvo en sus manos el jirón de carne reseca tardó menos de un segundo en dar su veredicto: «Es carne de res, pero de pésima calidad.» Esa noche esperó a que mi padre se sentara a la mesa para poner junto a su cena la prueba de que estaba yo siendo mal alimentado. Sentí una vil pesadumbre porque no era mi intención quejarme, sólo comprobar que la historia de los perros asesinados era una mentira de los internos.

–¿Qué carajos es esto? –preguntó el hombre, su cara de asco era inolvidable.

–Esto es lo que come tu hijo todos los días, un verdadero manjar. –Cáustica mi abuela, y contundente. Mi padre tomó el pedazo de carne, se levantó, dio cuatro pasos enérgicos en dirección a la ventana y lo lanzó a la calle. Enseguida volvió a su lugar y continuó cenando, tranquilo, limpio de remordimientos, como deben tomar sus alimentos los hombres trabajadores.

Como postre una barra de chocolate, una palanqueta o un caramelo sin ninguna gracia, pero los viernes, por razones para mí desconocidas, nos servían un plato de arroz con leche, acaso para que el fin de semana recordáramos la escuela con menos amargura: una dulce despedida.

La carrera de perros consistía en recorrer tres veces el perímetro del patio, es decir poco menos de trescientos metros, a la máxima velocidad. Ese día, los amos alimentaban a sus mascotas aumentando hasta en tres veces más su ración cotidiana. En consecuencia obligaban a los corredores a comer varios platos de lentejas, varias porciones de arroz, y cuatro trozos de carne que ellos mismos decomisaban a los perros que no participábamos en la competencia. Se usaba la palabra *decomisar* para nombrar cualquier acto de rapiña. Decomisar era en realidad sinónimo de robar. Los superiores tenían derecho a decomisar tus pertenencias con el pretexto de que no estaban permitidas por el reglamento. El reglamento: una tabla mosaica, un libro divino que se invocaba para cometer atrocidades, pero que nadie conocía; una Biblia escrita en hebreo que ninguno de nosotros, monolingües sin educación, tenía la posibilidad de descifrar. Decomisar, embargar, confiscar, actividades preferidas de los gobiernos mexicanos, de su policía, de sus agentes fiscales, de sus instituciones militares: rapiña y más rapiña.

Hinchado de alimento no existía atleta capaz de terminar la carrera, pese a que sus amos marchaban detrás asestándoles cinturonazos en la espalda o en las nalgas, amenazándolos con emascularlos, insultándolos, lanzándoles escupitajos. En un principio el alarido de los espectadores, el chasquido de los cinturones serpenteando en el aire, los gritos injuriosos de los amos y los chillidos de los perros hacían de la escuela un coliseo enloquecido. Segundos después de iniciada la carrera, el patio se inundaba con el vómito de los competidores que no lograban completar doscientos metros sin sufrir los efectos de la comilona. Un cuadro expresionista el patio de la escuela. Una porquería. Entonces se hacía el silencio.

–Cuida tu dinero, Sergio, estás pagando mil pesos al mes para que le den de comer basura a mi nieto. A los soldados, aunque sea con pepinos, los alimentan bien. Estamos tratando con vulgares negociantes.

–Déjame cenar en paz, mamá. –Para entonces todos, incluida mi madre, habíamos huido a la sala para ver televisión. Eran las nueve de la noche.

–Está en la edad de crecer y necesita alimentarse bien. Voy a tomar cartas en el asunto, ya que a ti no te importa.

–Te prohíbo que te entrometas. Ellos saben lo que hacen, ¿te imaginas a los soldados en medio de una batalla quejándose porque la milanesa no está bien cocida?

–No me pararía en una escuela gobernada por soldados. A mí los militares me son antipáticos. Pero ya encontraré la manera de alimentar bien a mi nieto. Que te aproveche tu cena.

Si no tomé parte en la carrera de los perros fue porque el cabo Plateros, mi amo, no tenía dinero para cruzar apuestas. Su pobreza me había puesto a salvo de la estúpida competencia donde el más apaleado fue un alumno de mi grupo, el cadete Filorio, joven delgado de ojos negros que desde el primer día fue recibido con sorna por los estudiantes de preparatoria. Ellos lo consideraban más que homosexual, una verdadera mujer. Concluí que los padres de Filorio tendrían que detestarlo como a nadie para inscribirlo en esta clase de escuela. En caso contrario, para qué enviar a un niño con modales recatados, voz femenina y movimientos de gacela a un colegio donde se reverenciaba la virilidad. No se puede estar tranquilo después de arrojar a un niño indefenso a una jaula de hienas. Todos se creían dotados de autoridad suficiente para manosear a Filorio, pellizcarle el trasero y referirse a él como a una intrusa que había cambiado la falda plisada por las botas de cuero. La humanidad se ha divertido así durante siglos, ¿algún día terminará esto? No lo creo, ni siquiera reencarnado en otro cuerpo, en otra vida podrá uno evitar estas bromas tristes e infames. Hasta que Garcini se vio obligado a intervenir.

–Al próximo que vuelva a meterle mano a Filorio le voy a coser las nalgas a palos –dijo Garcini, y, no obstante la rudeza de sus palabras, su rostro no mostraba irritación.

–¿Qué?, ¿ya son novios? –masculló la Rata.

–Empezando por ti, Rata, o pones orden o me busco a otro que me ayude. Si quieren cogérselo allá afuera es cosa de ustedes, pero aquí en el salón se acabó. Y no vuelvo a repetirlo –dijo Garcini, ahora sí contrariado.

Durante la tarde tomábamos talleres de música o electrónica, dependiendo del día. Repugnante es la palabra perfecta para describir a la Rata interpretando con su flauta las notas más conocidas de la novena sinfonía de Beethoven: un verdadero roedor mordisqueando un hueso amarfilado, babeando en tanto sus ojos cerrados fingían concentración. Lejos me encontraba del talento musical o de los complicados diagramas de la electrónica, y, sin embargo, mis tardes se erosionaban aprendiendo a desgano los rudimentos de ambas disciplinas. En mi portafolios, además de los libros y cuadernos de forma italiana, debí sumar un cautín de mango, una flauta color marrón, soldadura y un cuaderno con pentagramas. Los talleres olían a polvo concentrado, a luz que se pudría una vez que traspasaba las ventanas, la piel sudorosa. Dos veces a la semana Oropeza entraba a los talleres para hacernos sentir miedo. Entre las mesas se paseaba cauto, como una comadreja a punto de engullirse una gallina: nosotros, las gallinas, permanecíamos inmóviles en el nido, los párpados cerrados, la respiración contenida, atentos al ligero estornudo de sus zapatos cuando cambiaban de dirección. Y entonces me tocó a mí.

–¿Y usted cómo se llama, cadete? –me preguntó. Fue la única vez que detesté la impuntualidad del profesor de música.

–Guillermo, señor.

–Deme el apellido, Guillermos hay decenas en esta escuela.

La luz de un tubo de neón iluminaba la calva de Oropeza: ¿qué tipo de pájaro podría originarse en el interior de ese huevo rojizo?

–¿Y por qué lo inscribieron en esta escuela? ¿Es usted ladrón?

–No.

Mis compañeros me miraron, acaso por primera vez, con refinada atención. Sentí una baba pegajosa sobre mi cuerpo, una sustancia viscosa y calcinante proveniente de varias decenas de ojos curiosos. Las miradas son capaces de secretar sustancias aún más nauseabundas que la propia boca, sustancias invisibles, pero letales.

–¿Es usted marica?

–No.

–¿Entonces qué carajos hace aquí?. –Las risas del público cada vez más cínicas. Hasta Garcini abandonó su semblante abúlico para sonreír con frialdad.

–No sé, teniente. Yo no decido esas cosas.

–Quiere decir que usted no decide sobre su propia vida. ¿Es así?

–Así es, teniente.

–O sea que es usted una jodida marioneta, señor pizza de pepperoni. Bueno, aquí le enseñaremos a tomar decisiones cuando sea necesario. –Mi apellido despertaba en Oropeza el deseo de atragantarse con una pizza. Después de esa tarde mis compañeros comenzaron a referirse a mí como el «italiano». Yo, el italiano que no había viajado más allá de Veracruz.

La llegada del profesor de música causó un extraño efecto en los estudiantes, que no se cuidaron de mostrar cierta decepción. Ellos preferían, sin dar rodeos, las afrentas pueriles de Oropeza a las canciones de Franz Liszt o a los devaneos sentimentales de Felipe el Hermoso, como se le apodaba entonces a nuestro maestro. Desde su posición de roedores en pleno amansamiento ninguna obra de arte podría jamás equipararse al placer de una humillación pública, de un cadalso espontáneo: escenario este último propicio para que la víctima purgara sus pecados exponiendo sus heridas a la contemplación de todos aquellos ojos diminutos. La promesa de un escarnio donde los alumnos, mis queridos compañeros, participarían como espectadores les provocaba un placer que ninguna música podría ni remotamente igualar. Entre la flauta y el azote se inclinaban por el segundo, sin razonarlo siquiera, guiados por un impulso que quién sabe cuántas generaciones atrás había comenzado a fraguarse. En algún punto de la evolución el esperma podrido, el más corrupto entró por la puerta trasera del óvulo. Y todo se fue al carajo. Una alegría subterránea estallaba en su boca y en sus pupilas cuando la espada caía sobre otro, sin importar quién, sin importar cómo. Si estuviera en sus manos, habrían cambiado a todos los profesores por una decena de Oropezas: profesores que, en caso de carecer de rangos militares, se veían en la absoluta necesidad de pactar con Garcini o con la Rata para mantener la disciplina dentro del salón de clases. Porque no era sencillo imponer respeto si no se tenía un uniforme o una espada en la mano. No se hacía de modo descarado, pero se negociaba con los jefes de grupo a cambio de calificaciones más altas. Hay que negociar con el tirano, así nos enseña la vida, decían con sus actos nuestros amados profesores. Casi ningún docente reprobaba a Garcini en los exámenes, pero más de uno, sin embargo, se atrevió a reprobar a la Rata porque no hacerlo equivalía a confundir a un elefante con un perro. La Rata tendría que reprobar uno o dos años más para acumular la experiencia de Garcini y ser considerado digno de respeto por los profesores.

Los talleres se encontraban al oriente del patio, galerones amplios amueblados con mesas de madera a cuyos costados se habían improvisado terminales eléctricas; el comedor estaba al poniente, el laboratorio de biología a un lado del armero, hacia el norte. En el sur se alzaba un edificio de dos pisos: el internado. No existían una enfermería, un manicomio ni un prostíbulo que tanta falta hacían en nuestra noble institución. El laboratorio contaba con una mesa de piedra blanca en el centro que el profesor utilizaba para encima diseccionar animales y simular, como un mal arúspice, que la ciencia se hallaba contenida en las vísceras de un animal muerto. Alrededor de la mesa los asientos de los espectadores se disponían en tres niveles. Un salón bastante iluminado a causa de la luz que entraba franca desde una hilera de ventanas que abrían los muros en su parte superior. Además de la luz solar varias lámparas de neón colgaban del techo e iluminaban el laboratorio con una pátina ósea, muy propia para llevar a cabo el copioso asesinato de ratas, conejos y batracios. El encargado del laboratorio, un hombre sin huesos, embarrado a una diminuta espalda de hombros caídos, era sin duda el hombre más indefenso de toda la escuela, aun cuando fuera experto en diseccionar toda clase de animales que antes adormecía con cloroformo.

Se nos había pedido formar grupos de cinco cadetes para que cada grupo aportara esa mañana de jueves un conejo a la práctica de biología. Los conejos, se nos indicó, podían adquirirse en el mercado de Sonora o en cualquier tienda de animales a un costo risible. Los conejos jamás han estado a la alza, ni mucho menos: toda la sangre de los conejos que hay en el mundo no vale lo que se extrae en un día de cualquier pozo petrolero. El azar, movido por su estúpida inocencia, provocó que la mañana elegida para la práctica biológica, Garcini y la Rata fueran convocados por Mendoza para rendir el informe semestral de conducta, así que su ausencia dejó sin protección a nuestro profesor de laboratorio, el científico Williams, como se le conocía entre las filas.

La tarde sobrevino y yo volví a casa, cabizbajo, aturdido, con el uniforme manchado de sangre. Pensaba despojarme de la camisola unos metros antes de entrar y evitar así preguntas candorosas, pero en la calzada de Tlalpan, a la altura de la tienda Milano, me encontré de frente con Ana Bertha:

–¿Qué te pasó? ¿Te peleaste? –me preguntó a bocajarro.

Estuve tentado a responder que sí e inventar una embrollada historia con el fin de impresionarla, pero el solo recuerdo de lo ocurrido me apesadumbró y llenó de plomo mis rodillas. Ni su belleza logró arrebatarme el pesimismo que esa tarde hizo en mí más estragos que nunca.

–La sangre no es mía, es sangre de conejo.

–¿Mataste un conejo? –Los bellos, solares ojos de Ana Bertha se tornaron dos lunas opacas. Habían pasado más de seis meses desde nuestro último encuentro. Me pareció más alta, pero sus rodillas seguían estando tan raspadas como antes. ¿Dónde arrastraba sus rodillas Ana Bertha?, ¿dónde jugaba con otros adolescentes sin extrañar mi presencia, ni preguntarse por qué no se me veía merodear por los alrededores?

–En la clase de biología. Mataron a seis conejos con una bayoneta y después comenzaron a lanzarse los pedazos.

–¿Qué? Deja de bromear.

–Los despedazaron. Y algunos conejos todavía ni siquiera se habían dormido.

–Son unos cerdos, unos malditos... –balbuceó Ana Bertha, mi amor verdadero–. No debiste ir a esa escuela. Te vas a hacer malo.

–Me voy a escapar un día, te lo juro –dije, y seguí mi camino.

En mi mente se anidaba aún la cara atemorizada del científico Williams; los gritos bestiales de Vargas y de Barquera lanzando las tripas por el aire; las carcajadas de Marco Polo rebotando hasta las paredes del armero; las vísceras volando de un extremo a otro del laboratorio; la feroz reprimenda de Oropeza; los golpes, los ejercicios forzados durante la tarde y las cubetas con agua para limpiar el piso; el gesto colérico de Garcini; la risa maliciosa de la Rata; las lágrimas de un Filorio embadurnado de sangre; el rostro perplejo de Palavicini cuando a una orden de Garcini los descuartizadores se vieron obligados a unir los pedazos del animal sobre la mesa, a rehacer el rompecabezas y poner un poco de orden en aquel lugar donde se había perdido el control de manera absoluta.

Unas semanas antes de mudarnos a Cuemanco tuvo lugar un serio altercado entre mis padres. Faltaban escasos veinte días para culminar mi primer año de secundaria y la abuela volvía de un viaje por Estados Unidos después de pasar una corta temporada al lado de mi tía Rosario en un pueblo de California llamado Stockton. Si bien en mi familia no había historias de braseros desesperados, varios parientes nuestros vivían en California, sobre todo en San José y San Francisco. Habían marchado a Estados Unidos cuando todavía se les consideraba personas. Era un domingo ordinario como habíamos vivido tantos en la casa de la Avenida Nueve. Levantarnos a esperar la visita de los tíos para, en manada, marcharnos a almorzar menudo a El Rábano, una fonda cerca del mercado Portales; volver con las bolsas de comida y aguardar la llegada de la tarde; ver el futbol sentados en los sillones de la sala grande mientras los primos más chicos, que no entendían nada de este deporte, corrían por los pasillos de la casa: domingos comunes y poco amargos. Después de comer se nos permitía salir al callejón para patear la pelota los varones, y mecerse en un columpio improvisado las niñas, rutina que pese a ser tan poco emocionante esperábamos durante la semana con una ansiedad idiota. Los niños se conforman con tan poco. Después crecen y comienzan a dar dentelladas sobre todo lo que se mueve. En casa, estando nosotros en la calle, mi madre encontró a su marido besándose con su prima, Marta Quiñones, sobre una cama. Los enamorados aprovecharon que el resto de la familia charlaba en el comedor para escabullirse a la recámara de la abuela donde mi madre jamás entraba, ni mi madre ni nadie: el territorio de la autoridad reservado, por supuesto, a la dueña de la casa. Al final de cuentas, mientras en Cuemanco no se colocara el último ladrillo, aquí éramos cinco intrusos confinados a los cuartos secundarios.

No logro comprender –o al menos no le encuentro gracia– por qué mi padre besaba a una mujer tan poco atractiva. No era ella, ni por mucho, la más atractiva de sus primas. Socorro, Yolanda, Sara, cualquiera de ellas hubiera valido el desacato, pero ¿Martha? Tampoco me explico por qué mi madre entró a una habitación que le estaba vedada y en donde jamás había puesto antes un pie. Comenzaba a enterarme de la fuerza con que los celos derriban puertas y violan sin vergüenza los límites. Un territorio sagrado había sido mancillado en un solo día hasta por los ratones: a partir de entonces, cualquiera, si quería, podía entrar y orinar en la recámara sagrada. Las normas se quebraron y las pirámides abrieron por primera vez sus puertas. Después del escándalo los tíos, sus esposas e hijos se marcharon en silencio, como un cortejo que recién depositara el ataúd en su cripta: caras largas, ensombrecidas, compungidas a causa de un hecho lamentable; la prima de mi padre sangraba de los labios, pero se mantenía seria, como una vela; mi madre, después de haber asestado varios puñetazos, buscó refugio en el cuarto de la azotea asegurando la puerta con un cerrojo de acero. Sus aullidos se escuchaban en todo el barrio; los hijos llorábamos también, confundidos, pidiendo explicaciones que nadie se dignaba ofrecernos. Desde distintas azoteas varios ojos seguían los acontecimientos: ojos, oídos, murmullos, exclamaciones hipócritas. Mi padre, que había bebido un poco, se reía, pero no lograba ocultar su desconcierto; desde su punto de vista no había pasado nada: «Exagera, su madre siempre exagera», decía con una cerveza Tecate en la mano. Después se marchó y no volvió hasta la noche del lunes, cuando albergábamos ya serias dudas acerca de su regreso. Las amenazas de la mujer ofendida, en cambio, las entendimos todos perfectamente: se negaba a mudarse a la casa de Cuemanco y esa misma semana abandonaría a mi padre. Se marchaba con sus hijos a Orizaba, la tierra de su familia materna. Éramos gente común, y nuestro misterio consistía en ser los mismos de hace setecientos, mil años, allí se concentraba nuestra gracia, en no ser sino los mismos.

–Se acabó –decía con seguridad criminal–, que vengan tus queridas a lavarte los calzones.

–No estábamos haciendo nada, hija, nos conocemos desde niños, somos como hermanos.

Mi padre había perdido la sonrisa altanera. Su voz de cordero a punto de ser sacrificado hacía esfuerzos desesperados por abrir una brecha en los oídos de su mujer. Durante la semana que siguió al domingo napolitano se presentaba en casa con un regalo para ella en las manos: bolsas repletas de medias noches, pasteles, tortas de jamón, y hasta fresas con crema que compraba en El Naranjito, una heladería nocturna en la glorieta de Huipulco. Devolvía la miel que él mismo, con su voracidad de oso, había consumido de las reservas maternas.

–Tú no respetarías a tu hermana dentro del vientre. Siempre has sido un puerco.

–No hice nada, pero si lo hubiera hecho, tú también serías culpable.

–¿Qué quieres decir? ¿Yo culpable de que te montes sobre tu prima? –El lenguaje materno en su expresión casi divina.

–No exactamente, quiero decir que tu frialdad...

–Esta vez nadie va a enredarme. Se acabó.

Las ventanas del comedor, dos breves rectángulos gobernados por una rechinante falleba, daban a la Avenida Nueve, ahora Luis Spota. Desde allí observábamos los trenes del metro avanzar a una velocidad considerable, mucho más aprisa que los antiguos tranvías que cuatro años antes circulaban en medio de la calzada de Tlalpan. A unos metros de la casa una pareja de ancianos atendía un estanquillo de petróleo y combustibles rellenos de aserrín. Él se parecía a David Carradine; ella no tenía rostro, sólo arrugas encima unas de otras, como capas de lava. Los combustibles se usaban para alimentar los calentadores de agua, pesados recipientes cilíndricos barnizados con una capa de color aluminio que, con el tiempo, fueron sustituidos por modernos *boilers* de la marca Calorex. Los ancianos almacenaban el petróleo en dos enormes botes metálicos cuyo aroma se respiraba a varios metros de distancia.

–Un día vamos a volar en pedazos –reñía mi abuela con la propietaria del pequeño comercio. El tono áspero, la gravedad de sus reclamos le parecían indispensables: si los viejos ponían en peligro nuestra vida había que espetárselo en la cara.

–No se preocupe, somos muy cuidadosos con el petróleo, señora. Tenemos toda la vida en esto.

–No lo dudo, pero la he visto quedarse dormida en el mostrador.

–No me duermo, sólo cierro los ojos.

–Pues un día, cuando los abra, vamos a estar en el infierno.

Los ancianos, además de vender alquitrán y petróleo, compraban periódicos a diez centavos el kilo. Mi padre regalaba a mis hermanos el periódico que se acumulaba bajo su cama en aras de que lo trasladaran a la báscula del estanquillo: *Ovaciones* edición nocturna, *La Extra* y el matutino deportivo *Esto*. Ellos los cambiaban por galletas Mamut o dulces de tamarindo con chile que solían abrirles grietas en la lengua: odiaban los rábanos, las acelgas, la cebolla, pero comían toneladas de tamarindo con chile. A un lado del estanquillo había una casa parecida a la nuestra, sólo que en su patio crecía una higuera alta y fértil. Si queríamos, podíamos desde nuestra azotea tomar los higos amoratados de las ramas más altas del árbol. Renunciamos a los higos, porque a mi hermano, Orlando, los higos le parecieron testículos de perro muerto (una buena metáfora hace que los simios descendamos de los árboles). A causa de esta escandalosa higuera, mi familia se refería a las vecinas como «Las Brevas», dos mujeres huesudas que cubrían su cabeza con una pañoleta y de quienes mi madre solía también ponerse celosa: «Son unas putas, las Brevas», decía.

–Son nuestras vecinas. ¿También a ellas vamos a retirarles el saludo como hicimos con las McDonald? No estamos cuerdos. A este ritmo nos quedaremos solos. Y nadie sobrevive en la soledad, nadie. La sociedad es posible gracias a que las familias se unen para formar comunidades más grandes y progresar; no es de otra manera. ¿Entiendes lo que quiero decir?

Las quejas de mi padre tenían sentido. Era un hombre feo y tenía derecho a pedir que no se le confundiera con un casanova.

–Son unas putas, por eso no tienen marido. –Si no estaba enfadada, mi madre, jamás decía una majadería. Pero en caso contrario hacía sonrojar a cualquiera.

–Nada de eso, son extranjeras a quienes debe costarles un gran esfuerzo soportar a los nativos desconfiados, como tú.

Mi padre aludía al origen español de las Brevas. A lo largo de su vida mostró un respeto poco común por los extranjeros. Y además coleccionaba los discos de Doris Day. Y además, cuando nos cambiamos a Cuemanco, obligó a mi madre a teñirse el cabello de rubio.

–¿Extranjeras? Son más indias que el pulque, indias y putas.

Pero las Brevas quedaron atrás cuando por fin nos trasladamos a Cuemanco. Había que sufrir para transportarse a la nueva gazapera: abordar el metro con destino a Taxqueña y subir a un autobús que culminaba su ruta en Villa Cuemanco. Un camino menos agobiante consistía en seguir de largo por la calzada de Tlalpan hasta el Estadio Azteca y, enseguida, buscar un medio para recorrer la avenida Acoxpa hasta el Periférico. La sensación que teníamos los hijos era la de estarnos marchando de la ciudad. Un exilio disfrazado de mudanza. Y no estábamos errados porque la nueva colonia crecía a mitad de un extenso terreno despoblado. Aun cuando se pavimentaron las calles del fraccionamiento dotándolas de alumbrado público, estábamos rodeados por campos donde pastaban las vacas de los establos próximos: pastorales abundantes, asolados por manadas de topos y plagados de unas flores espinosas que mi madre llamaba duraznillo. Una década más tarde, la colonia consumiría esos campos poblándolos de casas y comercios, pero en ese entonces sólo unas cuantas familias se habían asentado allí. A mi padre le gustaba hacer loas de su espíritu colonizador: la primera piedra, el primer paso, la conquista: regar con su semen la tierra baldía.

–Así se han puesto las cosas y dentro de unos cuantos años, ¿saben contar?, los precios de estas construcciones se irán a las nubes. A fin de cuentas estamos comprando oro.

–Estamos pagando lo que no tenemos –le respondía su mujer. A ella, como a sus hijos, tampoco la convencía el destierro.

–Es una inversión inteligente, saludable, ¿acaso no puedes mirar a más de dos metros de distancia? En unos años nuestra casa valdrá varias veces más.

–Para eso primero tienen que encontrarla. Y dudo que lo hagan. –Mi madre no sólo miraba a más de dos metros de distancia; su mirada, como la de todas las mujeres, abarcaba la prehistoria, el futuro y el fin de los tiempos, los campos de Marte y la cumbre de las montañas más elevadas, los glaciares en la Patagonia y el fondo de los hormigueros más profundos. Y, no obstante su sabio malestar, contar con una madriguera menos estrecha para cuidar de sus ratones le despertaba una extraña satisfacción. Tenía que reconocerlo: su esposo cumplía al pie de la letra con sus obligaciones.

–El país está progresando. Mientras los empresarios no comiencen a desconfiar de los desplantes socialistas de Echeverría, las cosas marcharán por el camino adecuado. No sé hasta qué punto estarán dispuestos a soportar sus alardes.

Todavía no llegaban las expropiaciones, las devaluaciones del peso ni los embates guerrilleros. El presidente Echeverría se anunciaba como un demócrata, pero prefería la espada y el mazo para gobernar. Un socialista autoritario que odiaba los cabellos largos y a las personas que no pensaran como él. También se creía un profeta, el mesías de los países pobres, pero dos años más adelante muchos, como mi propio padre, abandonaron su religión y se volvieron sus más fieros detractores.

En los albores del segundo año escolar el mismo espíritu sombrío guió mis pasos más allá del culo de rata. Abúlico, cercado por el miedo y la desconfianza, no logré hacer una amistad importante pese a que Palavicini, Marco Polo y De Anda solían considerame parte de su equipo: en alguna coladera tenía que caer. Uno tiene que *estar* en algún lado, si tan sólo se pudiera *ser* sin *estar* entonces podría ser lo que se dice un alma solitaria. Además, una vez en Cuemanco las penurias se recrudecieron al verme más lejos que nunca de Ana Bertha, de mi abuela, de mi territorio en Portales. ¿Éramos campesinos? No, y sin embargo me levantaba a las cinco treinta de la mañana para presentarme puntual en la escuela, y volver casi anocheciendo a la jodida casa nueva de la que mi padre presumía con vehemencia folclórica. Hubiera preferido sacar agua del pozo, abrir surcos con un arado o levantar bostas de vaca, en lugar de recorrer las solitarias calles de Mazatepec y esperar la partida del primer autobús con dirección a Taxqueña. Me habitué al uniforme y a la rutina de pulir los botones, también a la comida que con esmerado amor preparaba Angelina, la cocinera pata de palo, pero no lograba acostumbrarme a la farsa de la autoridad. En el cementerio de alguna parte del mundo, en Cataluña, en Nápoles, los restos de un antepasado anarquista no me dejaban en paz. «El que obedece está hecho de la misma pasta que el que ordena: son cómplices, amantes y bailarán un vals eternamente», decían a mi oído los provocadores fantasmas. A excepción de unos cuantos, como el comandante Sigifredo o el cadete Garcini, casi todos los que ostentaban un cargo en la escuela despertaban en el rebaño más temor o rabia que reconocimiento. Unos mandaban respaldados por sus músculos y su fiereza; otros porque, pese a ser incapaces de imponerse sobre los demás, habían obtenido un grado gracias a sus elevadas calificaciones. Nos encontrábamos entre matones que nos hacían sentir miedo y sabios que no despertaban más que la risa de sus subordinados. ¿Por qué los sabios despiertan tanta risa? ¿Es así en el resto de las academias militares del mundo? No lo sabía, pero sospechaba que nosotros nos contábamos entre los más estúpidos.

Este segundo año transcurrió a la sombra de un

salón estrecho, cercano a los baños: el salón doscientos uno. Nuestro jefe de grupo se apellidaba Ceniceros y, como Garcini, era uno de los cadetes de mayor edad en la secundaria. Usaba lentes con armazón de oro y una esclava platinada con su nombre grabado en piedras rojas. Que portar alhajas estuviera prohibido no le importaba. Ceniceros era grueso de cuerpo y antipático, pero no abusaba demasiado de su cargo. No mostraba interés en conversar con nadie, excepto con tres zalameros que lamían el camino por donde su majestad Ceniceros pasaba. Sin saberlo, los limpiapisos nos ahorraban el mal humor de Ceniceros porque, samaritanos, aportaban las mínimas lisonjas, el tributo que nuestro jefe requería para mantenerse tranquilo. Una década más tarde, cuando mi paso por la escuela militar era sólo un absurdo recuerdo, encontraría el rostro de Ceniceros en el periódico. Lo reconocí de inmediato pese a no llevar sus lentes con armazón de oro y ostentar una melena imposible en los días escolares. Se le acusaba de haber matado a su padre con un tubo de acero.

Recitar la clase de memoria, sin matices eruditos, he allí el oficio de nuestros profesores: ni una palabra de más, ni una oración de menos. ¿Valía la pena esforzarse para lograr el progreso de tanto joven atorrante? De ningún modo. Impartían clase para ganar unas monedas que, si pudieran, obtendrían de una manera menos penosa. El profesor de geografía, un teniente retirado, jubilado del ejército, se solazaba lanzando el borrador de madera a la cabeza de los estudiantes distraídos: aquí la única razón por la que se presentaba todos los días a media mañana. Debido a que el viejo socarrón se divertía como no lo había hecho nunca en su juventud, sus familiares preferían enviarlo a dar clases que meterlo a un asilo. Otro anciano, un coronel en asueto perpetuo, castigaba nuestra distracción golpeándonos con el dorso del borrador en la punta de los dedos. Elegía dejarnos las manos acalambradas en vez de explicarnos los misterios de la tabla periódica. En cambio, el encargado de impartirnos matemáticas le pedía a Ceniceros que interviniera para poner el orden. Se dirigía a él como si nadie más existiera dentro del salón de clases. El resto, unos sapos que más valía no mirar.

Las prácticas militares se tornaron más frecuentes que nunca, pero me habitué a correr llevando un arma en las manos, y a reaccionar con la celeridad de una marioneta cada vez que unas manos, cualesquiera, jalaban los hilos conectados a mis hombros, a mi espalda. Mis oídos se hermanaron al sonido de la corneta, al entusiasmo de los tambores y al aullido femenino del clarinete. La banda de guerra no paraba de ejecutar una música que jamás llegó a conmover mi corazón. Lo más correcto habría sido emocionarse, pero nada, mi corazón un cadáver. Quizás si un soldado enemigo mostrara intenciones de hacerle daño a mi familia, o se empeñara en trasladar a la gentil Ana Bertha hacia un callejón oscuro, me habría servido de una marcha de guerra para defender lo mío. Pero una situación así estaba lejos de mi vida.

¿La razón? No la conozco, mas en esos días mi padre comenzó a interesarse por el sexo. En los para entonces esporádicos viajes que hacíamos en su auto desde Cuemanco a Tacubaya me aleccionaba sobre el espinoso asunto de la fornicación y sobre enfermedades como la gonorrea o la sífilis, esta última de consecuencias hereditarias. ¿Tenía que hacerlo? Supongo que sí.

–Si te contagian de sífilis tus hijos sufrirán más tarde los estragos.

Fue ésa la primera vez que me imaginé siendo padre, padre de una decena de hijos sifilíticos, saturados de pústulas.

–Sí, papá, entiendo.

–Tú aún no estás en edad de hacerlo, pero los alumnos de preparatoria van con prostitutas –bajó el volumen de la radio: 6.20 AM «La música que llegó para quedarse»–; es una situación normal. Las prostitutas no son malas mujeres, al contrario, están allí para que los jóvenes de tu edad acumulen la experiencia necesaria antes de casarse. En realidad son enfermeras. Es mi punto de vista, enfermeras, no prostitutas, ¿comprendes?

–Sí, papá.

–Dime una cosa, ¿los baños de la escuela son para todos los alumnos o están separados en secundaria y preparatoria?

–Están mezclados. –Y si hubiera perros también orinarían allí, pero no lo dije.

–Ten cuidado donde orinas o donde te sientas: a esa edad los estudiantes son sacos de enfermedades venéreas. La penicilina no es suficiente para tanta infección. Y no olvides comunicarme si tienes deseos de estar con una mujer.

–Voy a tenerte al tanto.

–Eres muy joven todavía, pero quería ser el primero en hablar contigo de estos asuntos. Tenemos que entrar por la puerta correcta para evitar sorpresas. ¿Quieres una mujer? Me dices y ya está. Si entramos por la puerta correcta podremos volver a salir. En caso contrario, como te he dicho, tus hijos pagarán las consecuencias.

Sabía lo suficiente acerca de Amalia porque tanto De Anda como Marco Polo hablaban frecuentemente de ella en mi presencia. Amalia, hija de una vendedora de fruta en el mercado Cartagena. Sólo había que aguardar la noche, los puestos cerrados y cubiertos con lona, el mercado casi vacío y por unos pesos podías, de la mano de Amalia, introducirte a una bodega para hacerle lo que desearas. El nombre de Amalia se había hecho célebre en la escuela y acerca de ella hablaban hasta quienes no la conocían. Se cruzaban apuestas absurdas en las que el perdedor se veía obligado a pagar toda una noche con Amalia dentro de la bodega. Amalia podía vaciar en una noche todos los bolsillos estudiantiles, Amalia la puta, la virgen de los cadetes desamparados.

–Casi no acepta gente de secundaria, pero a nosotros sí porque somos altos –dijo De Anda, presumiendo de aventuras a sus quince años de edad: piel amarilla, rostro alargado y un poco prognata, huesos duros, metálicos, huesos que durarían miles de años intactos dentro del ataúd. Tan alto como Marco Polo, pero no tan fornido como él, ni con esa mirada ruin que hacía de Marco Polo un animal temible.

–Lo que no me gusta es el olor a verduras. Deberíamos irnos con la Amalia a un hotel –sugirió Marco Polo. La emoción que no despertaba en mí la banda de guerra me embargó al escuchar la palabra *hotel.* El futuro se aproximaba.

–Lo peor son las ratas –dijo De Anda–. Si te descuidas sale una rata y te muerde el pito.

Estábamos, los tres, sentados a un costado de los talleres, en una sombra con olor a tierra.

–Prefiero pelear con las ratas que oler a verduras.

–Con el olor a verduras te crece el pito más grande. ¿Que no ves que son nutritivas?

–No seas pendejo, De Anda.

Un sábado, después de la práctica militar, a mitad del mercado Marco Polo me señaló con el dedo a Amalia. La apuntaba con el índice, sin recato. Ella se afanaba detrás de su puesto ordenando los montones de naranjas.

–Sabe que la estamos mirando –dijo Marco Polo.

La cabellera negra de Amalia caía sobre las naranjas doradas cuando se inclinaba para tomar el dinero de los compradores. No me gustaban sus senos grandes ni su nariz achatada, pero tras ese tendajón inmundo se ocultaban unas piernas que, por lo menos, no eran de palo, sino de carne morena, real. Hasta que Amalia se cansó de vernos husmear en su puesto e increpó a Marco Polo. Su voz, de mujer apasionada, sonó para mí por primera vez.

–No me traigas mirones, y menos tan niños –dijo. No usaba cosméticos, pero sus labios tenían color de ciruela.

–Ha estado ahorrando todo un mes, te va a ir bien –mintió Marco Polo. Lo hizo de un modo espontáneo. ¿Ahorrando yo? Si lo hiciera sería para comprar una botella de Habana doce años y sobornar a Oropeza, no para colarme en una bodega plagada de roedores.

–No quiero dinero de los niños, que se vaya a comprar dulces, carajo, ya sabes que no acepto a nadie de secundaria. Luego viene la madre a culparme de que su hijo es un degenerado. Si quiere que me dé el dinero y le doy un costal de naranjas. A ver, ¿cuántas naranjas quieres, niño?

Me pareció antipática. No tenía derecho a dirigirse a mí de esa manera. Si estábamos allí no era por mi causa. ¿O sí?

–No quiero naranjas, ni nada. Y si hubiera ahorrado dinero estaría en un hotel con una mujer de verdad –dije. El primer sorprendido por mis palabras fui yo.

–Lárgate de aquí, pinche baboso. No quiero volverte a ver por este pasillo o te echo a mis hermanos.

Si mi padre hubiera entrado a los baños de la escuela habría resbalado en los charcos de orines que, como una marea pestilente, propia del fin de los tiempos, desembocaba en la puerta de entrada. Aprovechando que nadie vigilaba en el baño (no había centinelas con pulmones de plomo), los cadetes orinaban fuera de los mingitorios, rociaban las paredes con su líquido amarillo, meaban en los lavabos inclusive. Una venganza contra la mala comida, los gritos, los golpes, la arrogancia de los internos. Coraje, y también una venganza contra su cobardía. No sé cuál habría sido la reacción de mi padre de haberse enterado de que una de las aficiones favoritas de Oropeza era ordenar a los cadetes lavar los baños. Su hijo vivía sumergido en un mar de orines para que la escuela, bajo el pretexto de la férrea disciplina, se ahorrara cientos de pesos en criados. Y cada vez que cenábamos en casa, el hijo mayor tomaba el pan con sus manos contaminadas, sus dedos inoculados con los gérmenes que los estudiantes de preparatoria habían pescado en los prostíbulos o en las bodegas del mercado Cartagena.

Cuando una tarde el subteniente Mendoza le informó a Ceniceros de que deseaba hablar con Bedolla y conmigo, sentí un miedo cercano a las lágrimas; ¿miedo?, no estoy seguro de que fuera temor, pero sí un enorme desconcierto. La primera vez que se me solicitaba con tanta urgencia, ¿los motivos?, desconocidos. Nada había de común entre nosotros; de hecho jamás había cruzado una palabra con Bedolla. Él era un niño pertinaz en sus estudios, pero antipático, una especie de pus que nadie deseaba tocar: la pus de la sabiduría. En lo que a mí respecta no había sido confinado una sola vez al calabozo, ni tampoco merecía enemigos que me buscaran para hacerme daño. La única pelea en la que me vi inmiscuido fue consecuencia del aburrimiento de Ceniceros, una tarde en los talleres durante una más de las ausencias de Felipe el Hermoso, nuestro profesor de música. Apoltronado en la silla del profesor ausente, con la corbata desanudada, las mangas recogidas y su ridículo copete ensortijado, Ceniceros le preguntó a uno de sus incondicionales, el Calavera, si tenía los arrestos necesarios para probar sus puños con un cadete más alto que él. En mi defensa puedo decir que la estatura no se puede ocultar: aun cuando no era tan alto como De Anda o Marco Polo, estaba por encima del promedio de los estudiantes de mi grupo. De un día a otro me había estirado cinco centímetros; sin anuncios premeditados, ni vitaminas de más; una mañana amanecí con los pies fuera de la cama, como si hubiera dormido dos años seguidos. El Calavera, número cinco en la lista del grupo, cadete raso, me señaló justo cuando me hallaba sumido en mi cuaderno haciendo esfuerzos para resolver un problema matemático.

–Ese güey, desde que lo conozco me cae mal, se cree italiano, el pendejo, a ver si es cierto –berreó el Calavera, con sus dientes enormes mordiéndole los labios y sus cuencas apenas suficientes para contener sus aceitosos ojos, redondos como canicas.

–A ver, italiano, no te hagas pendejo. Creo que tienes un enemigo –dijo Ceniceros, sin levantarse de su trono. Estoy seguro de que Ceniceros no deseaba molestar a nadie, pero uno de sus zalameros exigía de él un poco de atención. Había que cubrir de alguna manera el sueldo de sus empleados. ¿Se imaginaría el padre de Ceniceros que estaba pagando la colegiatura de su asesino?

Alcé la vista para encontrarme con la mirada miope de Ceniceros, la sonrisa excitada del Calavera y decenas de ojos apuntándome con sus afiladas pupilas, señalándome como la nueva víctima del ocio. Nunca antes había ganado peleas, excepto cuando me golpeaba con mi hermano y lo obligaba a pedirme perdón. En la primaria tuve miedo de los otros y en un par de ocasiones sufrí las consecuencias de mi impericia, pero con el Calavera fue distinto porque sólo tuve que soltar los puños e ir hacia adelante como si cavara un agujero en el muro para escapar de la escuela. Sin técnica ni estilo me lancé sobre mi oponente derribándolo de un golpe en el pómulo. Hubo débiles aplausos y algunos abucheos desaprobando la brevedad del altercado. Y ni siquiera había brotado la sangre: ¿para qué seguir sumando si el espectáculo no era mi fuerte? No obtuve ningún provecho de mi victoria, ni me volví líder o profeta momentáneo. Después de esa pelea volví al anonimato de mi pupitre en un rincón del salón, hasta que el subteniente Mendoza le dijo a Ceniceros que necesitaba vernos a Bedolla y a mí.

Podría ser el calor, una epidemia, la desesperación, pero la población del país aumentaba como una gangrena incontenible. Organismos vivos, larvas, millones de ojos recién abiertos buscando la luz del sol. Las ciudades, principalmente el Distrito Federal, se transformaron en el refugio de millones de provincianos que deseaban a toda costa modernizarse, ganar más dinero, progresar de la noche a la mañana. O acaso llegaban a la ciudad en busca de un trabajo negado en su tierra, lo que sea, pero aquí estaban, depositando la mitad de su estómago en las tuberías. El metro no cumplía sus primeros cinco años de existencia, pero los vagones resultaban insuficientes para transportar a tanta gente a sus casas;

cada tren tenía nueve vagones y en cada vagón cabían cincuenta familias. Si los políticos prometían más líneas de metro, los habitantes de la ciudad procreaban con rapidez vertiginosa. En Pino Suárez, cuando los relojes marcaban las cinco de la tarde, decenas de policías se colocaban a lo largo de los andenes para evitar que la gente se precipitara en las vías. En los pasillos principales de la estación, a partir de la pirámide descubierta durante las excavaciones, la gente se detenía a comprar dulces de amaranto, tónicos vitamínicos, o a tomar jugo de caña en pequeños conos de papel. Bebían jugo de caña para reproducirse, para estar más sanos, para saturar todos los vagones de todas las líneas de todos los metros que el gobierno amenazaba construir.

Una mañana, no recuerdo ni siquiera el mes, corrió el rumor de que el gobierno, entidad maligna, había planeado esterilizar a los ciudadanos simulando una campaña de vacunación en todas las escuelas. Los médicos, encargados de administrar la vacuna por medio de jeringas, cambiarían la dosis por una sustancia que volvería a los hombres estériles. Las dosis asesinas, se especulaba, habían sido preparadas en laboratorios de Estados Unidos y transportadas a México en un convoy de camiones de carga escoltado por el ejército. El convoy había recorrido la autopista Panamericana durante dos jornadas enteras antes de llegar a su destino: el Distrito Federal. Cerca de mediodía, miles de madres enloquecidas por la noticia corrían por las calles en busca de sus hijos; se amotinaban frente a las escuelas; exigían entrar a los planteles para cerciorarse de que los rumores eran infundados. Varias brigadas de la seguridad social, quienes efectivamente llevaban a cabo una campaña de vacunación contra la poliomielitis, corrieron el peligro de ser linchadas, apaleadas por las madres que defendían a sus futuros nietos hasta con los dientes.

–Echeverría no haría una cosa así, es un socialista y necesita del pueblo –decía mi padre, que en ese entonces, además de sexo, hablaba mucho de política. La causa, su trabajo de administrador en una editorial que publicaba una revista dedicada a los asuntos políticos: *Iniciativa.* Era un hombre inteligente, ni duda cabe.

–Si inyectan a mi hijo para esterilizarlo no descansaré hasta capar al presidente. ¡Esto es un escándalo! –renegaba mi madre, pero nada sucedió y la gente continuó tomando jugo de caña en la estación Pino Suárez, haciéndose fotografías en las nuevas casetas automáticas, abarrotando los vagones del metro, pariendo hasta de pie en las esquinas.

Así como mi estatura no pasó inadvertida para el Calavera, mis calificaciones tampoco escaparon a los ojos del subteniente Mendoza. Era su obligación estar al tanto. No se veía satisfecho cuando en su oficina nos informó, a Bedolla y a mí, que nos propondría para ascender a cadetes de primera aunque, y en caso de salir sobresalientes en el examen sobre conocimientos militares, podríamos ascender a cabos. Si estuviera en sus manos jamás pasaríamos de cadetes rasos, nos dijo Mendoza, sus ojos fijos en una revista de modelos desnudas, pero el reglamento interno de la escuela prometía dar estímulos a los alumnos con mejor promedio y con un año mínimo de antigüedad en la escuela. Toda una sorpresa este misterioso reglamento.

–Tienen que leerse estos libros. –Nos extendió una lista con cinco títulos, uno de ellos, el más ridículo, se titulaba *El pelotón y el soldado*–. Ustedes son buenos para leer libros, así que no les costará trabajo.

–¿Cuándo será el examen, mi subteniente? –preguntó Bedolla, cuyo promedio era sin duda mejor que el mío.

–No sé, en un par de semanas. Y no se les ocurra aprobarlo, ¿para qué quieren ser cabos, ustedes?

–A mí me gustaría ser cabo, mi subteniente –precisó Bedolla. Su voz delgada, pero entusiasta.

–¿Para qué? ¿Para que se rían de ustedes? Dígame una cosa, Bedolla, a ver, ¿usted cree que la Rata o Barquera van a obedecerlo? Se van a burlar de usted. –Bedolla se quedó mudo. Estábamos nada menos que frente a la verdad.

Hasta entonces Mendoza no levantó la vista para auscultar mi silencio. Una mosca se posó en el trasero de una modelo. De un modesto radio de pilas sobre el escritorio, ambos propiedad de Mendoza, brotaba la voz de Leo Dan: «Esa pared / que no me deja verte / debe caer / por obra del amor.»

–¿Y usted también quiere ser cabo, italiano? –Las palabras de Mendoza parecían brotar de sus ojos camaleónicos.

Me habría gustado decirle que me importaba un carajo sus grados, su escuela, su madre, mi subteniente, pero mi cobardía mantenía mi lengua en su lugar.

–No, señor.

–¿Tiene las agallas para enfrentarse a la Rata o a los internos?

–No, señor.

–Usted sí sabe, italiano, aquí lo más sabio es obedecer y estudiar. No se meta en líos.

En la calle de Palma, en el Centro, existía una pequeña tienda de accesorios militares donde los cadetes se pertrechaban de lo necesario para completar su vestimenta: marrazos con cabeza de aguilucho, espadines, pecheras, clarinetes, galones e incluso literatura militar. Lo que no se encontraba en el almacén del Chato estaba en los anaqueles de la tienda de Palma. Allí me dirigí para comprar los libros sugeridos por el subteniente Mendoza. Páginas de calderilla militar para detallar las formaciones de una compañía, los deberes íntimos de un soldado, el significado de los símbolos marciales más comunes y las tácticas de campaña, por cierto impracticables en esos días; en suma: información necesaria para hacer de cualquier cabeza un excusado. Apenas hube hojeado los libros decidí no hacer ningún esfuerzo de más para aprobar el examen. Sin embargo, cometí un error al hacerle saber a mi padre que había sido convocado para un ascenso. ¿Por qué no me quedé callado? Desde entonces no he podido cerrar la boca; desde aquel día soy la extensión de una lengua que se mueve inquieta aun antes de mi nacimiento. Hice lo impropio. Debí cerrar la boca, seguir al pie de la letra las instrucciones de Mendoza para reprobar el examen y mantener con un poco de gallardía mi silencio, en vez de presumir la posibilidad de un ascenso. Pero erré el camino y desde entonces no he podido detenerme, congelar la lengua, aislarme de ese orgullo de *ser* que acompaña a los toros cuando, en estampida, ciegos entierran sus pezuñas en la espalda de los caídos. Acaso no fue nada más vanidad, sino también la ingenua idea de que un grado en el uniforme me brindaría una tranquilidad vedada para el cadete raso: una cinta en el brazo me pondría a salvo de las bestias, de la Rata, de los internos que, hartos de su orfandad, no se cansaban de joder a los otros. Así que leí los libros y presenté el examen, codo a codo con Bedolla y otros despistados, a un lado de matones que ni siquiera tenían el promedio necesario para ser tomados en cuenta, pero que sabían tirar de los puños e imponerse sobre el resto de los alumnos: expertos en patear culos y pegar en la nuca, en sacudir el cerebro de los más débiles con la palma de la mano. De esta calaña los prefería Mendoza: capataces, caporales, testaferros para que tanto a él como a Oropeza les crecieran tentáculos para gobernar la escuela sin la molestia de levantarse de su asiento. Un examen sencillo, para no entorpecer el ascenso de los animales, pero con cierto grado de complejidad para no retar al comandante Sigifredo, que deseaba a otra clase de alumnos para ejercer el mando. Sigifredo quería una escuela, no una cárcel, una escuela con disciplina militar, no un reformatorio en el que se enseñara matemáticas a los delincuentes. Así era el comandante, enérgico, sanguinario, pero idealista como no había nadie más en el edificio, casi un alemán. Un profesionista que firmaba los oficios escolares con las siglas C.P. antecediendo su nombre, orgulloso de su profesión y de sus ideales: Contador Público Titulado, Sigifredo Córdova González.

Los resultados se publicaron unas semanas antes de terminar el año escolar, cuando ya ni siquiera recordaba haber respondido a las preguntas del examen. Las hojas con los nombres de los estudiantes beneficiados se pegaron en un muro cercano a la dirección. Me enteré por boca de Palavicini, que fue a buscarme al asta bandera donde, recargado en el basamento de piedra, comía yo una torta de paté y mantequilla. No era sencillo aislarse dentro del hormiguero, porque a toda hora una hormiga te apuntaba con sus antenitas curiosas y te conminaba a unirte a la hilera de obreras pusilánimes.

–Ahora sí, mi jefe, en qué podemos servirle.

No había maldad en las palabras de Palavicini, ni siquiera intención mordaz: aunque parezca un despropósito, Palavicini sólo intentaba sobrevivir y quedar bien con un nuevo jefe. Su padre era un abogado carente de lustre, pero autoritario y violento. Trabajaba en un modesto bufete de abogados en la avenida Revolución. Lo vi un par de veces a las puertas del culo de rata. Un hombre sin estatura, feo y crucificado con unos anteojos de cristal verde. Cuando Palavicini deseaba agradar a una persona le ofrecía de inmediato los servicios de su padre: «Si te meten al bote, me llamas y mi padre te saca de inmediato.»

–No estés jodiendo, pinche Palavicini –le dije.

–Acaban de aparecer las listas de los nuevos ascensos. Estás allí.

–¿Y a qué me ascendieron? –pregunté, sorprendido.

–A cadete de primera. Usted dirá, mi cadete, lo que usted ordene –dijo Palavicini cuadrándose, sonriendo desde su dentadura de mandarina seca.

–Pues te ordeno que te vayas a chingar a tu madre –dije, riendo.

No puedo ocultar, aunque me dé vergüenza, que experimenté cierto orgullo cuando leí mi nombre estampado en las listas de ascenso. Tanto que deseé la muerte súbita del día para correr y dar la noticia a mi hermano y a mi padre. Me había convertido en un superior, en uno capaz de mandar a los otros, ordenarles que se tiraran a un barranco o se colgaran de un árbol. Bedolla fue promovido a cabo, con nota de sobresaliente; Colín a sargento segundo; Ceniceros y Garcini serían cabos. Mi nombre estaba casi al final de la lista como uno de los nueve cadetes de primera ascendidos en la secundaria. Listones y moños para el vestido, cintas para los brazos, peinetas para el niño rapado, adornos para la fiesta que comenzaría el año siguiente. Una fiesta sangrienta.

Tercera parte

Dos meses de vacaciones fueron suficientes para que me creciera el cabello: sesenta días de asueto, antes de volver a meter la cabeza en la guillotina escolar y convivir hombro a hombro con los verdugos. Casquete corto a cepillo cada diez días para evitar que el teniente Oropeza se diera gusto tusándote la nuca. ¡Cómo le gustaba trasquilar cabezas al honorable teniente! Durante aquel tiempo el espejo insistió en devolverme el rostro de un extraño: mis orejas se tornaron más discretas y la forma de mi cabeza se hizo menos cuadrada. El cabello realizaba el milagro. Entraba a ese terreno sembrado de fealdad en donde la adolescencia se hace más cínica: granos, cuerpos alargados como cirios, vellos disparatados, huesos elásticos. Los presagios de una angustia inminente me invadían al darme cuenta de que la belleza no estaba de mi parte. Ni una melena abundante haría de mí un hombre atractivo. ¿Me reconocería Ana Bertha en el futuro? Lo dudo mucho. No se me consideraba feo, pero jamás sería perseguido por las mujeres. Sumado a una adolescencia descompuesta y poco prometedora mi pene, una vez erecto, podía ser cualquier cosa menos una lanza erguida o una línea recta. La verga chueca, con la punta mirando hacia arriba, como una pequeña cimitarra que brinda su existencia a los dioses. ¿Podría meter ese pedazo de varilla curvada en algún lado? ¿Existiría una vagina cuya oquedad fuera capaz de recibirme? No lo sabía del todo, pero mientras tanto me masturbaba jalando hacia abajo, tratando de enderezar la carne anómala para llevarla hacia una posición digna. Me encerraba en la recámara y jalaba hacia abajo, con fuerza y dolor, enfrentándome a la inmunda naturaleza que no había usado correctamente el teodolito.

Mudarse a Cuemanco significó señal de progreso para todos, menos para mí. Compartir una recámara con mi hermano cuando en la casa de Portales disponía de una habitación entera significaba retroceder, volver a las cavernas, a la prehistoria (me imagino que esa necesidad de estar solo tenía que ver con volver al vientre y cancelar mis merodeos por el mundo físico, regresar a la tibia ergástula donde uno todavía no se entera de que para vivir hay que pagar rentas y patear una inmensa cantidad de traseros). No conforme, mi padre nos prohibió pegar banderines del Cruz Azul en las paredes porque podía arruinarse el papel tapiz, ¡nada menos que el jodido papel tapiz! Fue una discusión acalorada. Los hijos, en edad de discutir, no comprendíamos que progresar llevara consigo esconder los banderines de nuestro equipo en el armario. La silueta del Gato Marín lanzándose frente a la portería para detener un gol tendría que irse al carajo. La sonrisa de Horacio López Salgado desaparecería y el autógrafo de Fernando Bustos se perdería entre los cajones de la cómoda. Si bien me sería imposible señalar con exactitud la fecha en que comenzaron algunas de mis fobias, sé que a partir de la primera semana en Cuemanco empecé a odiar el papel tapiz. Si estuviera en mis manos los muros no tendrían ningún recubrimiento: sólo ladrillos rojos con un poco de cemento para cubrir las fisuras.

La más beneficiada con la mudanza fue mi hermana, a quien a sus diez años le fue asignada una habitación exclusiva. El privilegio le venía de ser mujer, ya que de su entrepierna saldrían los verdaderos nietos, los vástagos legítimos que, para nacer, habrían de alimentarse de su sangre y su cuerpo. Su vientre era nuestra casa, la casa que la familia construía para reproducirse y protegerse de hordas más numerosas y mejor armadas que la nuestra. Mientras dormíamos, en las casas vecinas se pertrechaban de granadas y cuchillos afilados, se preparaban para la guerra porque presentían que nosotros nos preparábamos también.

Ni siquiera reflexionó en ello, mi padre, cuando nos apartó de su única hija confinándola a una habitación solitaria. Fue sólo un acto reflejo. Era su obligación alejar a los pequeños machos cabríos de la hembra; confinarla a un claustro para que sus senos crecieran en secreto, lo mismo que el césped negro que con premura comenzaba a cubrir su pubis. Un amplio cuarto para que esos senos crecieran y para que la imagen de su desnudez no despertara en nosotros el desasosiego, un armario entero para guardar sus decenas de bragas blancas, rosas, azul celeste, sus calcetas escolares y sus vestidos de algodón. Y si quería concentrarme en los libros de la escuela debía mudarme al comedor, al jardín o al baño, porque en la recámara mi hermano no conocía el silencio, ni tampoco el sueño: quería convertirse en un gamberro. En el discreto jardín trasero, los topos asomaban la cara y me veían, a traves de los amplios ventanales, hojear uno de los tomos de la enciclopedia Barsa que mi padre pagaba en abonos mensuales. Recién instalados en Cuemanco adquirimos también la colección de los clásicos de Grolier, y los tomos de la enciclopedia Quillet que nunca utilicé porque a la postre me siguen pareciendo los libros más oscuros que entraron jamás a mi casa. Libros inútiles porque no sirvieron para hacernos más sabios, menos pobres o evitar la muerte, pero que a mi padre le daban esperanzas de habitar una vida distinta, menos callejera o procaz: cajas llenas de libros para terminar de abandonar el barrio de Portales.

Por ese entonces, a mediados de los años setenta, la gente paría desesperada, como si engendrando hijos pudiera ser algo más de lo que era, o se curara de un cáncer metafísico: en los años setenta se escupía menos de lo que se paría. Las embarazadas, afiebradas, no terminaban de colmar el país con niños flacos y horrendos. Había mocosos hasta en la sopa: larvas dientonas cuyo movimiento no habría de cesar sino hasta los sesenta años, edad a la que todos los mexicanos alimentados con chiles, frijoles y tortillas tenían derecho. Compasivo, para evitar que la gente sufriera demasiado a la hora de transportarse, el gobierno de la ciudad adquirió cientos de autobuses nuevos a los que llamó *delfines.*

–¿Cómo dices que se llaman ahora los camiones? ¿Tiburones?

–Delfines, mamá. Son muy lujosos y nadie puede viajar de pie. Si un policía ve que un pasajero viaja de pie detiene el autobús.

–Que yo sepa los delfines no nadan en la mierda –decía mi madre, que culpaba al gobierno de las desgracias ocurridas a su alrededor. Echeverría, Moya Palencia eran a sus ojos ladrones, demagogos. Echeverría había solapado el asesinato de cientos de estudiantes y ahora quería hacerse pasar por socialista. Durante junio del años setenta y uno había declarado frente a los diputados que los estudiantes rebeldes eran maricones, fumaban mariguana y provenían de familias destruidas. ¿Qué clase de socialista era Echeverría? Nada que proviniera de la mano de un asesino podía ofrecernos un poco de tranquilidad, opinaba mi madre.

–¿Cómo pueden llamarse delfines?

–Así se llaman, no sé quién les puso el nombre.

–Echeverría y sus políticos, ¿quién más va a ser? Quieren engañarnos con palabrería hueca. Los camiones deberían llamarse pirañas o ajolotes, no delfines.

–No creo que un presidente se ocupe en bautizar camiones –dije.

–¿Qué vas a saber? Si eso es de lo único que se ocupan. Detalles, tonterías para hipnotizarnos.

En los delfines estaba prohibido viajar de pie y sus cuarenta asientos se ocupaban desde el principio de la ruta. Apenas había espacio para otros pasajeros porque las embarazadas ocupaban una buena parte de los lugares. Como apostilla al lujo se ahumaron los cristales con el fin de proteger a las personas del sol, ¡cuánta delicadeza! Los delfines cobraban dos veces más que los autobuses chatos –se les llamaba así por tener el motor en la parte trasera y carecer de trompa–, pero continuaban siendo un transporte barato y uno tenía la oportunidad de cruzar la ciudad por una cantidad insignificante. Lo mío era abordar el autobús en Taxqueña, después de hacer agobiantes filas de casi una hora hasta que los choferes, hartos de tantas mentadas de madre, permitían a las personas viajar de pie junto a las embarazadas, los niños y los perros. De ser los autobuses más cómodos de la ciudad pasaron, de un día a otro, a ser los más incómodos del mundo: jaulas estrechas donde los animales sacaban la trompa para respirar. Los choferes, pese a las prohibiciones, aprovechaban la oscuridad de los cristales ahumados para rellenar el interior con toneladas de carne. Todas las medidas tomadas con el fin de hacer la ciudad más habitable se derrumbaban transcurridos unos cuantos días y por cada delfín, ballena o autobús nuevo nacían más niños y había más mierda, más pobres, más narices ansiosas de respirar.

Me había acostumbrado a recorrer la ciudad dos veces todos los días, caminar, subir escalones con mis botas ajustadas, la corbata apretada, el uniforme estrecho y un chanchomón del número cuatro que me dejaba marcas rosadas en la frente. La cinta en el brazo, el grado de cadete de primera no hizo más heroica la peregrinación de mi casa hasta el salón de clases. Nadie sabía que ese galón prendido con seguros a la manga izquierda de mi uniforme me convertía en un superior. ¿A quién podía importarle? ¿Superior a quién o a qué? Entre más galones lleva uno en el brazo más estúpido es. Los sargentos, por ejemplo, son engañados tres veces, así que son más estúpidos que quienes, como los soldados rasos, no han mordido el anzuelo ni una sola vez.

Los primeros días del tercer año en la escuela fueron sembrados con la misma semilla amarga de los años anteriores, excepto por el hecho de que encontraba normales actos que antes me parecían repugnantes, absurdos o desalmados. Me estaba haciendo malo, o cínico, tal como dos años atrás predijera Ana Bertha. Por lo demás, el paisaje se repetía con una precisión casi científica. El nuevo año escolar tenía la misma cara sudorosa y ridícula que los dos primeros años. Era la cara de Oropeza partida en dos por la dentadura basáltica de Mendoza y los ojos iracundos de Sigifredo. Y cada gota de sudor, cada grano era un alumno como Bedolla, Marco Polo, yo mismo.

El nuevo jefe de grupo llevaba por nombre Tomás Garrido, un muchacho pecoso, de baja estatura, que a diferencia de Ceniceros y Garcini poseía una lengua fantasiosa y demasiado libre. Era hijo de españoles nacidos en Badajoz, nos decía, aunque nadie sabía dónde quedaba eso. Como ninguno de nosotros había escuchado jamás un nombre tan feo como Badajoz, Tomás se acostumbró a llevar un mapa de España en el bolsillo con Badajoz ubicado en medio de un círculo rojo. «De allí vinieron a conquistar a México», decía, sin altanería, como si nada hubiera podido evitar la conquista ni la llegada de los caballos y las escopetas. Tomás hacía bromas en voz alta, palmeaba la espalda con bastante facilidad y, en contraste con el resto de los jefes de grupo, tenía calificaciones aceptables. Quiero decir que por lo menos sabía escribir sin faltas de ortografía, quiero decir que sabía leer. Si podía señalar Badajoz en el mapa podía entonces señalar Australia o la Patagonia. Tomás no se arredraba frente a los gorilas, al contrario, los trataba de modo que sus carencias salieran a flote, los exhibía; sus palabras sonaban cordiales, pero matizadas por una pátina de superioridad que los bárbaros reconocían de inmediato. Un político en esencia, el cadete Tomás Garrido.

–¿Y tú, eres hijo de italianos o te inventaste el apellido? –A Tomás Garrido le gustaba charlar con todo el mundo. De esa manera se sentía protegido, como si durmiendo en medio de la plaza el toro olvidara su presencia.

–Mis bisabuelo era italiano; yo nací en esta ciudad, en un hospital en la calzada de Tlalpan.

–¿Conoces España?

–No, pero sé dónde está Badajoz –dije.

El repentino escalafón me permitió pasearme con más tranquilidad por los rincones de la escuela, husmear ya sin el temor de ser devorado por los peces más grandes. Podría incluso dar paseos platónicos alrededor del patio, las manos atrás, la mirada fija en Protágoras y Gorgias. Pese a que intentaba no conceder importancia al asunto, mi brazo izquierdo se volvió tan valioso como el brazo de un lanzador de beisbol o un pianista. Por primera vez en mi vida tuve verdadera conciencia de esa parte de mi cuerpo, tanto que no sabía qué hacer con ella, si exhibir la condecoración a cielo abierto o esconderla para evitar las miradas ociosas y suspicaces. A mis espaldas, el reglamento señalaba que cualquiera que se atreviera a maltratar a un superior sufriría un arresto ejemplar, el cual podía traducirse en largas horas de encierro o en trabajos forzados en el armero o en los baños (jamás en la cocina). El castigo real no estaba en las horas, pero sí en el trueque que los infractores llevaban a cabo con los oficiales: dos baquetazos por cada hora de castigo: golpes y más golpes. En realidad el reglamento era letra muerta porque en casos extremos ni los internos ni los cadetes veteranos se detenían en los escalafones para hacer lo que les viniera en gana. Te asestaban manazos en la nuca sin ninguna contemplación o se carcajeaban de ti frente a los demás. Una tradición añeja: en cuanto divisaban a un cadete recién ascendido, los veteranos aguardaban el momento preciso para ponerlo a prueba, tal como lo hizo conmigo la Tintorera, un interno de preparatoria que servía de mensajero a la Chita. La Chita no tenía que moverse ni hacer esfuerzos para amenazar o intimidar a alguien, le bastaba enviar un recadito con la Tintorera.

–Así que ahora vamos a tener que obedecerte, pinche italiano –me enfrentó, con tono retador, la Tintorera. Tenía una cicatriz en la frente, una escolopendra de un millón de patas que añadía cierta comicidad a su apariencia, esto pese a que la Tintorera no tenía en sí nada de gracioso. Un detalle pícaro atrapado en una jeta de amargura, ¿quién se equivocó? ¿Quién falló a la hora de componer la cara de la Tintorera?

–Yo no doy órdenes a nadie –dije. No balbuceaba como en los primeros días de cadete, pero era parco: cuantas menos palabras salieran de mi boca, más continuaría el sol alumbrándome.

–Esos grados no sirven para nada. Lo que hay que tener es huevos.

Carajo, todo en esta maldita escuela se concentraba en los testículos. Los cielos, la tierra, el fuego, la creación entera tenía su origen en esas bolas arrugadas.

–Yo no quería el grado.

–Pero bien que fuiste de nalgas a presentar el pinche examen.

–Tenía que presentarlo. Fue orden de Mendoza.

–Pero lo aprobaste. –La Tintorera me observaba tratando de indagar la verdad de mis palabras. No sólo había verdad en ellas, sino abulia: aprobar los exámenes que te practicaban los internos resultaba tan aburrido como presentar un examen de ascenso.

–Lo pasé porque hasta un anormal puede responder a ese tipo de preguntas. Aunque dejes las hojas en blanco pasas el examen. A fin de cuentas los que te califican son unos idiotas.

–Eres mamón, italiano, pero me caes bien. –¿Era

una sonrisa lo que de repente apareció en la cara de la Tintorera?

Suficiente para enterarse de que el italiano no ocultaba ninguna aspiración y de que podían quebrantarse todas las reglas en mi presencia. Una vez ascendido a cadete de primera mis deseos de mandar se hicieron humo. Los cadetes rasos, mis compañeros, los inferiores, tenían permiso de rebanarse las tripas, destazarse en mi presencia, pues yo jamás intentaría remediar lo que carecía de remedio. Querer hacerlo me habría llevado a enfrentamientos inútiles que con toda seguridad habrían culminado en el escarnio público, en huesos fracturados, e incluso en mi degradación. Y nada emocionaba ni causaba más placer a los oficiales que degradar a un estudiante arrancando de un tirón sus galones. Esto era la vida para ellos. Hacer escarnio del acusado en mitad del patio cuando las nueve compañías se encontraban reunidas; leer la sentencia con el micrófono hundido en el cogote; recordar que la institución sobrevive sólo si es capaz de descubrir a tiempo los pequeños granos de herpes; arrancar de un zarpazo los galones: he aquí descrito uno de los banquetes más apreciados por Oropeza y el resto de los oficiales.

El salón trescientos tres se hallaba a un costado de la escalera que conectaba los tres pisos del edificio destinado a la secundaria. El más amplio, sin duda, de todos los salones en los que había tomado antes clase. ¿Era eso progreso? Pasar de una mazmorra estrecha a una crujía más ancha, ¿las cosas mejoraban? Desde mi banca, cerca de los ventanales, miraba a los estudiantes pasar con sus libros bajo el brazo y escuchaba, casi en mi oreja, los gritos de los oficiales precedidos de las últimas notas del corneta de guardia. Y a empezar otra vez el desfile de profesores apocados que no veían en nosotros ninguna clase de futuro ilustre, y a soportar de nuevo las tediosas prácticas militares, las estrictas revisiones de uniforme y corte de cabello, la comida olorosa a cebolla, los mustios saludos a la bandera; y a comenzar otra vez con lo mismo hasta que una mañana apareció un cadáver en el dormitorio de internos.

El cadáver no apareció de la nada, estaba en su cama, boca arriba, con un cuchillo atravesándole el cuello. Un cuchillo hecho en Alemania, con mango de madera y hoja dentada. Fue una mañana de asueto inesperado y el culo de rata se cerró por primera vez afectado de un feroz estreñimiento. Nadie podía entrar ni salir por ese repentino conducto acongojado, excepto el comandante Sigifredo, que armado de un altavoz salió hasta la misma avenida Jalisco para informar a la muchedumbre de cadetes que las clases se suspendían hasta el día siguiente. Teníamos, según rezaba la amenaza del comandante, contador público titulado Sigifredo Córdoba, diez minutos para desaparecer de los alrededores de la escuela o nos haríamos acreedores a un arresto el fin de semana.

–Yo creo que se incendió el laboratorio –especuló Bedolla en voz alta para ganar público entre los jóvenes azorados que colmaban la banqueta. Si lo decía un cabo tenía que ser verdad.

–No fue un incendio –lo contradijo Marco Polo–, no hay bomberos ni tampoco olor a quemado. Además, ¿quién va a mezclar las sustancias si los laboratorios están cerrados?, ni modo que los ratones.

–Junto a la dirección hay dos patrullas y un jeep del ejército. Para mí que mataron a alguien –terció De Anda. Los estudiantes murmuraban en pequeños grupos, extraían sus propias conclusiones.

–Algo sucedió en el internado. Me asomé por una rendija y el patio está vacío.

–¿Tú crees que se jodieron a Camacho?

–Debe estar colgado de un árbol, el Camacho.

–No hay árbol en toda la escuela que soporte el peso de Camacho.

–Nos lo van a dar de comer mañana.

–Por si las dudas yo no comeré en una semana.

–¿A qué sabrá Camacho revuelto con perro?

–Yo creo que la Chita se subió a un árbol y no lo pueden bajar.

–A ver, díselo en la cara, güey.

–De la Torre dice que escuchó una ambulancia como a las seis de la mañana.

–Qué va a saber el De la Torre si es un huevón, a esa hora ni siquiera se ha levantado.

–Pero vive a dos cuadras de aquí. Lo despertó la sirena de la ambulancia.

–Es un huevón.

–Un virus, puede ser que hayan detectado un virus.

–Si es un virus, seguro salió del culo de Oropeza.

Las voces se disiparon en el escenario de una mañana sin sol, carente de gracia, silenciosa como un búho que observa desde la espesura de un árbol el cotidiano movimiento de las bestias. Los muertos pesan y nuestro muerto se había adueñado del edificio, nos había expulsado mientras se acostumbraba a la eterna inmovilidad de sus huesos. El estupor que en un principio me causara la repentina clausura de la escuela, se transformó en buen ánimo: libre para hacer lo que se me diera la gana. Ojalá todos los días –mis pensamientos eran por primera vez míos– mataran a un interno para volver a casa a las ocho de la mañana. Nada se comparaba a esa intempestiva libertad que el destino se dignaba obsequiarme. Tuve deseos de hincarme a mitad de la calle y agradecer, pero Sigifredo observaba. ¿Cantar?, qué absurdo, nunca he gozado de una buena voz y cuando me animo a cantar una canción, apenas apagadas las últimas notas me dan ganas de llorar o de enterrarme en la arena.

Podía haber aceptado la invitación de Marco Polo e irnos juntos a un cine del Centro: Río, Savoy, Teresa, donde se proyectaban películas pornográficas desde las diez de la mañana y se permitía la entrada a menores de edad, o la propuesta de Palavicini para alquilar un bote y surcar las aguas verdosas del lago de Chapultepec, pero lo que hice fue irme a casa de la abuela, pasearme por mis antiguos territorios, vagar en el parque Centenario como si fuera un viejo que no puede dejar atrás sus recuerdos. Mi padre llenaba las paredes de papel tapiz, compraba ceniceros de cristal cortado, ponía marcos dorados a todos los retratos y su hijo volvía de nuevo al lodo, a la vida barriobajera y torva de la colonia Portales. Un cangrejo, nada menos que un obstinado cangrejo avanzando de espaldas al futuro. Un hijo para desandar los pasos, retroceder, volver al punto de partida.

La abuela, una pañoleta en la cabeza para esconder sus tubos, me recibió sorprendida porque, además de ser la primera visita que le hacía un nieto, había estado soñando conmigo en las últimas noches. Soñaba que me nombraban presidente del país, que intentaban matarme como a su esposo y que me salvaba un águila que tenía impregnado de veneno el pico.

–El águila les sacaba los ojos, las tripas –me informaba, concentrada en las sangrientas revelaciones del sueño. No era la primera vez que me nombraba presidente o me auguraba un futuro político. Y no me avergüenza confesarlo: en el único lugar donde he podido destacar ha sido en los sueños de esa viuda, madre de tres hijos de distinta estatura.

–¿Y quién quería matarme? –pregunté, azorado. Nunca se me había ocurrido que alguien tuviera interés en matarme.

–Era un grupo de hombres vestidos de negro, seguramente militares. Como si pudieran disfrazarse sin ser reconocidos.

Animada por mi presencia, la abuela se tomó unos minutos para prepararme su especialidad gastronómica, un guisado mezcla de chile poblano, queso y salsa de tomate que comimos con tortillas recién compradas. Fiel a mi decisión de no relatar nada de lo que me sucedía dentro de la escuela inventé, para justificar mi ausencia esa mañana, que se estaban llevando a cabo importantes reparaciones en el edificio.

–Están pintando los salones y podando los árboles –le dije–. Reparaciones de rutina.

–Holgazanes; tuvieron suficiente tiempo en las vacaciones para dedicarse a esos asuntos, pero cuando llega la hora de cobrar te exigen pagar los días completos. Bueno –se consoló ella misma–, al menos no te obligan a respirar pintura o químicos extraños.

–Están pintando los salones de rojo –dije, medio en broma mientras intentaba quitar la nata del café con leche. La mañana estaba hecha para decir mentiras.

–¿De rojo? Tenían que ser militares, sólo están pensando en la sangre.

Los hechos se hicieron públicos apenas se reanudaron las clases. Aboitis era el apellido de nuestro muerto. ¡Teníamos el nombre completo! Ezequiel Aboitis Martínez, un joven de tez morena, cuerpo gelatinoso y ojos alucinados que cursaba el segundo año de preparatoria. Había nacido en Tampico, puerto donde sus padres eran propietarios de una cadena de farmacias. Al menos de eso presumía Aboitis.

–¿Que droga te metiste?, seguro te la enviaron tus padres –decía la Chita, con el único afán de hostigarlo. Aboitis le provocaba una envidia especial porque tenía tanto dinero como él: un vulgar conflicto entre empresarios, bananas contra aspirinas, ¿no es eso de lo que se ocupan casi todos los hombres? Presumir de sus quesos y sus escobas.

–Cuando quieran les paso unas dosis, cabrones, pero me las pagan. –Aboitis hablaba siempre en plural, como si estuviera dirigiéndose a un auditorio.

–Te las cambio por sandías –proponía la Chita.

–Métanse las sandías por sus culos. Yo lo que quiero es dinero para irme con mujeres.

–¿No te da miedo vivir sola en esta casa, abuela?

–A mi edad es mejor vivir sola, ¿para qué quiero cuervos aleteando a mi alrededor? Los viejos tenemos que estar solos para que la muerte no se sienta incómoda.

–Tú vas a vivir muchos años. Además, cuando te mueras vas a hacerlo en un hospital –dije, sin meditar mis palabras, como si los hospitales fueran lugares deseables para morir, mejor que el lecho de un río, o la falda de un volcán.

–Voy a morirme en mi cama, o en la calle. No me desees los hospitales, ¿o acaso no me quieres?

–Escuché decir a mi padre que vas a mudarte con nosotros. Lo repite casi todos los días.

–Pobre de tu padre. Se lo agradezco, pero primero muerta que arrimada con alguno de mis hijos.

Diversas versiones acerca de lo ocurrido, contradictorias y en general fantasiosas, comenzaron a circular, pero el paso de los días fue matizando los infundios hasta ofrecernos una versión apenas aceptable de los hechos. Se rumoraba que el cadete Aboitis había sido asesinado como represalia por acosar a varios internos de nuevo ingreso. Y «acosar» no era precisamente la palabra más conveniente. Su cuerpo fláccido, de tetas maternales, exigía un tributo semanal por parte de los reclusos más jóvenes: estaba en su derecho de interno viejo. Le gustaba acostarse con niños, sorprenderlos los fines de semana mientras se bañaban, amenazarlos con un arma, seguramente la misma que utilizaron para romperle el cuello, acariciarlos, montarlos en la banca de madera que estaba en el pasillo que antecedía a las regaderas, hacerles con la punta de la navaja una ligera incisión en las nalgas.

La muerte de Aboitis provocó que varios cadetes abandonaran el internado por temor a ser acusados, o descubiertos, dejando sus camas, sus lentejas amoratadas, sus armarios personales, para marcharse nadie sabe a qué lugar. Yo no recuerdo sus nombres, internos de preparatoria, provincianos, gente mala, sin ninguna educación.

–Ellos no fueron –afirmaba la Tintorera, enfático, como si lo supiera todo–, ésos huyeron de miedo, mariconcitos.

–¿Y entonces quién?

–El asesino sigue aquí, con nosotros. Antes de que termine el año va a matar a otro. Les apuesto lo que quieran.

El silencio de Camacho, su gesto pétreo, no daba lugar a especulaciones; como si los músculos de su cara fueran bíceps inmutables, tejidos tomados de su espalda, incapaces de expresar vida. Y si alguien conocía lo sucedido dentro del internado, ése era Camacho. Cómo no iba a saberlo si la escuela era el caparazón que el armadillo llevaba a cuestas, Camacho el armadillo, el caracol, el quelonio de ojos a medio cerrar. En ausencia de una verdad verificable, comenzó a crearse en la escuela una atmósfera de matones perdonavidas. A los internos les atraía la idea de que el resto de los cadetes sospechara que alguno de ellos era el asesino, el justiciero, el defiendeniños; hasta hubo quien en secreto confesó ser el criminal: había matado porque no toleraba al cabrón pervertido del Aboitis. Si la policía se hubiera presentado en ese momento, la escuela entera se habría entregado.

Las clases pasaron a segunda fila y los profesores renunciaron a captar la atención del alumnado, cuya cabeza y concentración se había trasladado a la escena del crimen. A muchos la cabeza comenzó a trabajarles por primera vez: ¡hasta el estúpido de Plateros tenía una teoría incontrovertible acerca de los hechos! En un par de diarios citadinos apareció una nota pequeña que no aportaba nada a lo que ya todos sabíamos, excepto porque en algunos casos se transcribían, exactas, las palabras del comandante Sigifredo. El comandante aseguraba que se había tratado de un suicidio, uno como tantos que provoca la angustia adolescente. Y para sostener sus palabras citaba a un sociólogo de apellido Durkheim. No se había perdido la oportunidad de dar cátedra frente a la prensa. En definitiva, el cadete Aboitis extrañaba a sus padres y había dado muestras de nerviosismo excesivo, de «una ansiedad incontrolable». El comandante exageraba, lo sabíamos todos, él mismo, Durkheim, y también el periodista que transcribió la nota.

Se hizo común que durante las prácticas militares algún cadete tomara la bayoneta de su arma para recargarla en su cuello y a viva voz, como en una comedia de mala calidad, amenazara con suicidarse. Las burlas se hicieron cada vez más recurrentes y vulgares. Del silencio que procedió al asesinato se pasó al escarnio público y al comentario cínico.

–¡O me dan un cadete de primer ingreso para comérmelo, o me suicido!

–¡Cuidado, la verga de Aboitis ronda por los baños! La pueden reconocer porque tiene un ojo de loco en la mera punta.

–Mi comandante, tuvimos que suicidarlo por violador, disculpe usted, mi comandante.

El oficial Oropeza, el subteniente Mendoza, los comandantes de compañía, de sección, toleraban esta clase de comentarios porque no encontraban una manera más efectiva de restarle importancia al crimen. La verga de Aboitis se hizo tan famosa como un cómico de televisión y se la encontraba en todas partes, en la olla de lentejas, dibujada en los pizarrones y en los mingitorios; varios mosquetones y carabinas fueron bautizados como las peligrosas vergas de Aboitis y en el comedor no faltaba quien la encontrara en su plato de lentejas o confundida con un hígado de pollo entre el arroz blanco.

–Sólo falta que aparezca sobre un nopal, en lugar del águila.

–¿En la bandera? Que no te oiga Sigifredo porque te vas al calabozo.

–¿La verga de Aboitis en medio de la bandera? No puede ser.

Pese a que intenté ser lo más discreto posible, lo ocurrido en los dormitorios del internado llegó a oídos de la familia. Si yo les hubiera narrado los hechos jamás me habrían creído, ni siquiera habrían prestado oídos a mis palabras. Sin embargo, un amigo de mi padre que a sugerencia suya había inscrito un año antes a su vástago en el mismo colegio que yo, fue el encargado de traer la noticia. Benito Baena, era el nombre tanto del padre como del hijo. Y ambos tenían la misma cara, la misma estatura y el mismo temor al futuro. ¿Cuántas generaciones deben pasar para que la cara de los primeros padres se borre por completo? No preví que un suceso hasta cierto punto normal en una escuela donde se jugaba con armas se convirtiera en un escándalo. ¡Si casi partíamos la carne con la bayoneta! ¡Si no movíamos un pie sin antes escuchar los compases de una marcha guerrera! ¿No eran los muertos la consecuencia, el premio a todas estas rutinas? ¿No tendríamos que sentirnos alegres? Mis padres discutieron horas acerca del hecho, gritaron y estuvieron a punto de llegar a las manos. Ella sumida en el sillón, aferrándose a las antebraceras, como si temiera caer en un precipicio. Él caminando a grandes zancadas por toda la sala, como un general nervioso que imparte órdenes a un grupo de subalternos a punto de rebelarse. Los hijos salimos a la calle para alejarnos de la tormenta y nos sentamos en el borde de un camellón, junto a un grupo de bambúes y colorines.

Si hubiéramos tenido la estatura adecuada nos habríamos guarecido dentro de los agujeros que los topos cavaban en nuestro jardín, hendiduras enormes que mi padre intentó inútilmente colmar de agua para ahogar a los intrusos. Los vecinos guardaban un silencio tan incómodo como los gritos que cimbraban mi casa. Me habría gustado que intervinieran, pero su cobardía les impidió siquiera acercarse. Así que estábamos solos, sentados a la sombra de aquellos árboles tristes, bajo un cielo sin nubes, ni estrellas, una sábana lisa que comenzaba a oscurecer. Mi madre daba por un hecho que su hijo sería asesinado si continuaba asistiendo a clases; para su esposo, en cambio, el internado no guardaba relación con las actividades de los medio internos. Tienen vidas distintas, decía él; «la misma mierda», afirmaba su mujer desde el sillón: «El mismo criadero de gusanos.»

Los hermanos seguíamos sentados en el borde del camellón en espera de que la discusión terminara. Mi hermana lloraba y cruzaba los dedos, a veces cerraba los ojos para comenzar a contar en voz baja: «Cuando llegue a cincuenta estarán tranquilos.» Nosotros manteníamos la vista fija en la ventana de la cocina, si mi madre comenzaba a romper vasos tendrían que ser los que estaban a un lado del fregadero. También atendíamos la puerta de entrada principal porque podría suceder que mi padre saliera de modo intempestivo, subiera a su auto y se marchara. Si tuviéramos que elegir entre las dos acciones, ver a mi madre arrojar vasos contra la pared o ver a mi padre marcharse, preferíamos que sucediera la segunda. Mi hermana tuvo que comenzar a contar otra vez ya que después de terminada la primera cuenta los gritos continuaban: «Tres, cuatro, cinco...»

Ahora, mientras subo a mi auto para abandonar el cementerio vuelvo a escuchar sus voces graves, sus argumentos encontrados, sus gritos. Sobre todo el timbre belicoso de ella burlando las paredes. Vuelvo, porque no puedo evitarlo, a recordar la discusión que culminó con mi salida de la escuela y mi inscripción en una preparatoria pública. Debo tomar el periférico en la próxima salida e intento concentrarme ya que desde el entierro de mi padre no había vuelto al cementerio. No puedo poner un alto a mis ideas. Tampoco logro controlar los dolores que si bien se expresan bajo la piel del abdomen son originados en una mente que amenaza derrumbarse. Siento profundos remordimientos porque sé que ella deseaba ser incinerada y yo permití que mis hermanos tomaran la decisión de enterrarla junto a su esposo, a unos centímetros de su esqueleto, ataúd con ataúd en una promiscua, eterna relación. La imagino abriendo los ojos para reclamar mi desidia. Ella, imbuida de una obstinada fiereza, me había evitado continuar en la escuela, y yo ni siquiera pude cumplirle un último deseo. Siento angustiosos deseos de volver a poner las cosas en su lugar, pero es demasiado tarde porque sé que no lo haré, que las horas que han pasado después de cubrir el catafalco de tierra son ya intransitables, puentes caídos, túneles de topos sin salida.

ÍNDICE